CW00701733

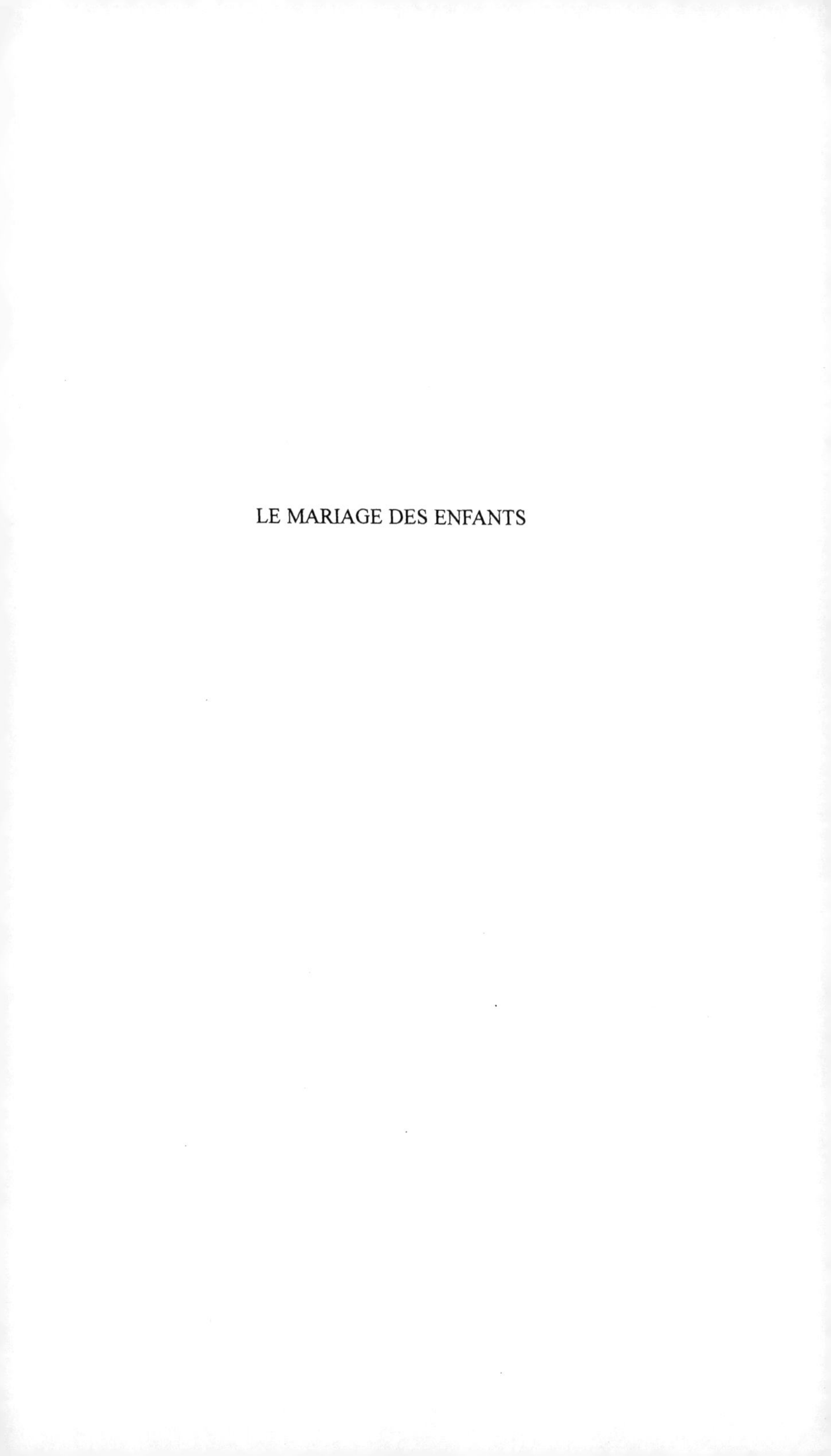

LE MARIAGE DES ENFANTS

*Du même auteur*

*Le Nouveau Dictionnaire des girouettes*
(avec Sophie Coignard), Robert Laffont, 1993.
*Les Trouillards de la République*, Balland, 2002.
*Moi vivante*, Balland, 2002.
*La République compassionnelle*, Grasset, 2006.
*Sarkozy, l'homme qui ne savait pas faire semblant*,
Larousse, 2008.
*Quelques corps parmi les morts*, Fayard, 2013.

Michel Richard

# Le mariage des enfants

*roman*

Fayard

Couverture : Didier Thimonier
© Getty images

ISBN 978-2-213-68121-4

Il me semblait bien que Balzac avait eu ce genre de souci. Les droits d'auteur de ses romans n'avaient pas suffi à boucler ses fins de mois. Il devait dépenser gros, Honoré. Parce qu'il en avait écrit une centaine, de romans, et que tous auraient figuré sur les listes des meilleures ventes si celles-ci avaient existé. Je croyais bien me souvenir que Balzac était souvent à sec, toujours à échafauder des plans pour gagner de l'argent, vite et plus. Quels plans, je n'en avais aucune idée.

Heureusement, Internet était là, flanqué de quelques bons apôtres : Google ou Yahoo. Je me cantonnai à ce duo, suffisant pour satisfaire à mes curiosités. Je n'étais pas un fou d'Internet, il s'en fallait, mais cliquer sur Google ou Yahoo et remplir à trois doigts la petite case où inscrire l'objet de sa recherche, ça je savais. Je tapai donc « Balzac » et me trouvai à la tête de quelques milliers de documents. Je rajoutai « vie de l'auteur » à « Balzac », ce qui réduisit le champ de mes recherches de façon bienvenue. Quelques clics et sous-clics plus tard, j'avais mon début de réponse.

Quand Balzac n'écrivait pas de romans et qu'il avait besoin d'argent, il faisait un peu de tout, avec des bonheurs divers. C'était un touche-à-tout, racontait l'écran. Tour à tour éditeur, promoteur immobilier, cultivateur (il cultiva un temps des ananas sous serre), inventeur (un procédé de fabrication de papier à partir de la cellulose), vendeur (il créa le premier club du livre). L'écran n'en disait pas plus, mais suffisamment pour que je reste perplexe. Il fallait une belle énergie et une sacrée imagination pour baguenauder ainsi de la serre à la presse, de la pierre à la cellulose, mais rien, dans tout ça, pour m'inspirer.

À croire que j'étais né trop tard. Les éditeurs, disait-on, ne faisaient plus fortune, les promoteurs immobiliers couraient les rues, les ananas, mais aussi les kiwis, et les fraises, et les melons, et les tomates étaient élevés sous serre et même, pour ces dernières, hors-sol, sur du coton hydrophile, une sorte de couche à bébé dont on enveloppait les racines et sur laquelle on faisait pisser une solution glucoso-vitaminée, le tout sous UV pour faire mûrir ou rougir la chose. Quand une époque en était là, c'est qu'il n'y avait plus grand-chose à inventer, me dis-je.

Qu'est-ce qu'il aurait fait, Honoré, tout malin qu'il ait été, s'il lui avait fallu inventer quelque chose *aujourd'hui* ?

Je me posai la question, comme un novice à un maître. Bien sûr, je n'étais pas Balzac. Je n'avais pas écrit un seul livre. Et, jusqu'alors, n'avais jamais été mis dans l'obligation d'échafauder des plans pour gagner de l'argent.

J'allais pourtant devoir m'y mettre, et vite. C'est simple, j'avais dix-huit mois pour gagner autant que ce que me versait mon employeur en un semestre. Mais en plus. Ce qui faisait pas mal, car mon employeur me payait plutôt bien – je ne l'aurais jamais avoué, mais m'étonnais in petto, chaque mois, de valoir autant sur le marché. Où l'on voit, au passage, une autre différence entre Honoré et moi : je ne péchais guère par excès de confiance en moi-même. En quoi, du reste, je tranchais sur les mœurs de mon milieu qui ne détestait pas le mirobolant, ni même l'imposture. Mais là, pour l'heure, n'était pas la question : je devais en dix-huit mois trouver l'équivalent de mon demi-salaire annuel.

J'en avais le vertige.

Assis à ma place favorite, dans la rotonde du fond, j'en étais obsédé. Le bus, pourtant, avait sur moi des propriétés apaisantes. C'était l'endroit où je réfléchissais le mieux. Je n'aimais rien tant que laisser mon œil errer sur les choses de la rue et mon oreille traîner quand s'enclenchait quelque bavardage au sein de cette petite communauté véhiculée. Parfois, une idée surgissait sans que je sache d'où ni comment, elle s'invitait en moi sans que je l'aie du tout vue venir. Je pouvais trouver là ce que j'avais vainement cherché au travail. La RATP était en somme le meilleur auxiliaire de mon cerveau. Ça valait bien un pass Navigo deux zones. Encore fallait-il ne penser à rien, surtout ne pas vouloir avoir une idée. C'était ça, la ruse. Surtout ne pas vouloir trouver la solution à mon problème. Un demi-salaire annuel, nom de Dieu ! Et faire comme si de rien n'était. Et ne pas inquiéter Marie.

Le bus fit une halte prolongée pour laisser monter un handicapé à fauteuil. Je regardai le mécanisme, hydraulique sûrement, qui lançait une petite passerelle d'acier entre le bus et le trottoir. Une lumière façon gyrophare signalait la manœuvre. Dans ma tête aussi, les warnings clignotaient à plein. Encore une connexion entre le bus et moi, ricanai-je. Aveuglé de flashes, mon cerveau n'avait aucune chance de simplement fonctionner. Il se ratatinait, il faisait le gros dos, mon cerveau, tout juste bon à calculer que, six arrêts plus tard, je serais arrivé chez moi.

# 1

Je ne m'attendais à rien quand je me rendis avec Marie, pour la première fois, chez eux. Leur immeuble, vu de la rue, n'avait rien de remarquable. Ce n'était pas du Haussmann, pas du moderne non plus, c'était du sans âge, du sans style sur une petite rue que j'avais dû chercher sur un plan. Rien à dire ni à redire sur la cage d'escalier et l'ascenseur qui nous mena au sixième étage. Je sonnai à une porte blindée peinte d'un joli vert bronze. C'est lui qui nous ouvrit.

– Ah, bonsoir, bienvenue ! Je suis ravi de faire votre connaissance, dit-il. Entrez donc.

L'homme était assez corpulent mais pas gros. Il me dépassait d'une bonne tête. Il sentait l'eau de toilette. Sa poignée de main était sympathique.

Nous entrâmes donc.

– Inutile de nous présenter, dis-je, tout sourire. Vous devez avoir une petite idée de notre identité.

– Et comment ! rétorqua l'homme, l'air de dire qu'il n'ignorait rien de nous et que, même, on l'avait bassiné au cours d'interminables préliminaires à notre rencontre.

D'emblée, par son comportement, sa manière de parler, il avait installé une atmosphère chaleureuse, sans cette gêne qui plombe souvent les premiers contacts. À peine le temps de jeter un coup d'œil à l'entrée que, déjà, il nous entraînait vers le salon. Sa femme nous y rejoignit aussitôt.

– Le plus simple serait que vous m'appeliez Fabienne, non ? dit-elle en embrassant Marie.

– Volontiers. Moi c'est Marie, dit Marie.

– Allons-y pour Vincent, dis-je.

– Et moi c'est Simon, conclut Simon.

Fabienne m'embrassa. Du coup, Simon s'écria qu'il n'y avait pas de raison que Marie y échappât.

La pièce était vraiment magnifique, pensai-je, si absorbé que je fusse par les premiers échanges avec mes hôtes. Un regard circulaire avait suffi pour me faire une idée de l'ambiance qui émanait des lieux. Il ne fallait pas se fier aux façades d'immeuble, décidément.

D'une certaine manière, c'était le cas du studio de Benoît. Quand mon fils m'avait amené le voir avant de signer le bail, j'avais eu, toutes proportions gardées, le même étonnement. Sur la rue, l'immeuble était carrément moche. On empruntait un couloir carrelé, froid comme une morgue, pour accéder à une cour intérieure pavée qui aurait pu avoir de l'agrément si n'y avait été construite une bâtisse bizarre qui mangeait l'essentiel de l'espace. Une petite porte, sur le côté de ce résidu de cour, permettait tout de même de pénétrer dans un bâtiment de deux étages. La cage d'escalier sentait l'humide. Le mur, salpêtré, se répandait en plaques sur le sol. Deux câbles électriques serpentaient dans les coins. Un compteur à gaz époque Arletty ajoutait au sordide. Mais, deux étages plus haut, au bout d'un couloir sombre, le vingt-six mètres carrés de Benoît était confortable et même charmant si l'on peut trouver du charme à un paysage de tuiles, de gouttières et de conduites d'eau en zigzag.

Assise sur un canapé framboise, d'un ton parfait qui évitait le clinquant, Fabienne levait sa flûte de champagne. Elle était belle avec ses yeux bleus, sa chevelure rousse, son visage plein et serein.

Justement, elle parlait de Benoît. Son début de carrière, sa manière d'être avec elle, avec eux. Elle et Simon en parlaient avec affection et amusement. C'était étrange, pour moi, de découvrir ce qu'était mon fils à travers leurs yeux, de réaliser qu'il leur appartenait, d'une certaine façon, qu'une sorte d'intimité le liait à d'autres qu'à nous, ses parents. Un territoire que je n'avais fait que deviner mais qui s'incarnait, là, par petites touches, et c'était intéressant, voilà : intéressant. Je voyais que Marie, habilement, entretenait cette conversation, avide elle aussi d'en apprendre sur cette autre face de son fils. Benoît leur plaisait, à l'évidence.

Personne encore n'en était venu au cœur du sujet. Comme si chacun de nous savait qu'il ne fallait brûler aucune étape. Attentifs, tous les quatre, à ce que notre entente, au moins mondaine, atteignît un seuil minimal, un Smic relationnel, sans quoi les choses seraient bâclées. Nous nous jaugions, pour tout dire ; nous reniflions notre ADN ; soupesions nos milieux respectifs ; mesurions notre surface ; débusquions nos manières ; traquions nos ambitions en petits-bourgeois avisés.

Sur la table basse à l'épais plateau de bois, le plat de petits-fours salés était bien entamé. Simon proposa d'ouvrir une deuxième bouteille de champagne. Marie et moi nous récriâmes. Nous passâmes à la salle à manger, sobre et minimaliste, elle. Nous nous installâmes sur des chaises métalliques design autour d'une table anthracite, devant quatre grandes assiettes vert jade disposées sur des sets en lin couleur brique. C'était chic.

Le passage d'une pièce à l'autre ne fit nullement, comme parfois, baisser la cordialité qui restait naturelle. Fabienne et Marie entamèrent un aparté que je saisis d'autant moins que Simon m'entreprit sur ses affaires. Il était le patron de la branche immobilière d'une grande banque, ayant à gérer un parc destiné, en cas de malheur, à venir à la rescousse d'un bilan désastreux. « Mais rassurez-vous, me dit-il en riant, aucune crise, jusqu'à maintenant, ne nous a obligés à nous servir de ce répondant immobilier. En attendant, nous contribuons au mieux aux bénéfices annuels. »

Pas une vente d'importance, pas un programme immobilier ne lui échappait. Il achetait, il vendait, il louait, il investissait, il consentait des crédits, il négociait, et l'on devinait, malgré la légèreté désinvolte qu'il mettait à en parler, les millions d'euros que pesait la moindre de ces opérations.

– Et vous ? Autant que je sache par Benoît, rien à voir avec ces ennuyeuses affaires d'argent ?

Non, rien, en effet. J'étais responsable de la rubrique culture-spectacles d'un quotidien. Si Simon avait à faire avec l'argent, moi c'était avec la gloire, ou du moins la notoriété. Tous mes « clients », en tout cas, y prétendaient. Écrivains, acteurs, paroliers, scénaristes, éditeurs, producteurs, peintres, starlettes, gens de télé, tout ce petit monde constituait mon ordinaire.

– Inutile de vous dire que c'est quelquefois intéressant, souvent dérisoire, mais toujours distrayant. Il y a là une communauté éclectique qui s'ignore ou se jalouse, équipée d'un fort coefficient égotiste, et qui se bat, dans la solitude ou sur les estrades, pour exister, être quelqu'un au moins aux yeux d'un public. Une grimace, au fond, de ce que nous sommes tous. Sauf qu'eux prennent des risques plus éclatants : s'exposer, en écrivant, ou en jouant, ou en chantant, c'est appeler un jugement. Celui du public, celui des critiques. Le mien.

Simon rit de cette vision. Je devinai qu'il avait du mal à distinguer la part de cynisme, d'auto-dérision ou de tendresse que j'y avais mise. Il préféra embrayer sur des sujets plus prosaïques – le travail dans un journal, les délais pour écrire, les horaires de bouclage…

Quand Fabienne revint avec un odorant tajine de poulet, la conversation retrouva son unité.

C'est de nos quartiers respectifs que nous parlions maintenant. Marché, boutiques, bonnes adresses, petit boucher – car chacun, n'est-ce pas, avait son « petit » boucher, manière de dire que sa viande était extra, comme si elle ne venait pas tout pareil de Rungis, marquée des mêmes tampons d'encre violette, comme si on appelait par leur petit nom les bêtes paissant dans le pré avant que leurs membres écartelés aboutissent dans la chambre froide de la rue d'à côté... De là, on parla du quartier où logeait Benoît dans son vingt-six mètres carrés.

C'était flirter, à couvert, avec la question de savoir où logerait Benoît dans quelque temps, quand... quand il ne vivrait plus tout seul dans son petit appartement mais... mais avec... mais avec Anne-Sophie ! Anne-Sophie, la fille unique de Fabienne et Simon. Anne-Sophie qui allait se marier avec Benoît, ou Benoît avec elle. Le mariage. Leur mariage. C'est bien de ça que nous devions parler. Même qu'on était réunis pour ça.

Et nous, futurs beaux-parents, d'en venir au fait. Et de convenir qu'il y avait tant de questions à résoudre qu'il fallait procéder par étapes. Et que ce serait suffisant, pour ce soir, ce soir où nous avions fait connaissance, ce soir heureux où nous mettions en branle le processus d'expansion de nos familles respectives par croissance externe, ce serait suffisant et déjà satisfaisant de répondre à « quand ? » et « où ? ».

Déjà Simon dégainait son BlackBerry de la poche intérieure de sa veste (un parfait fil-à-fil gris sombre). L'affaire, chacun en convenait, ne pouvait se concevoir avant une bonne année et demie. Il fallait bien ça pour avoir une date, retenir les créneaux horaires, réserver les lieux, bloquer les officiants, chercher, louer, négocier, convenir, conclure. Il y avait tant à faire.

Fabienne, avec le dessert, apporta une nouvelle bouteille de champagne qui nous fit du bien.

– C'est assez simple, intervint Marie. Le choix est entre juin et septembre, non ?

– Ou peut-être le dernier week-end d'août. Les gens sont revenus de vacances à la fin du mois, avançai-je.

– C'est quand, au juste, le dernier week-end d'août ?

Simon tapota sa machine. Fausse manœuvre. Il jura. Fabienne se moqua. Je me marrai. Un agenda de papier et d'encre eût déjà fourni le renseignement. Marie en avait un dans son sac. Le dernier samedi d'août, c'était un 28.

– Pas mal, dis-je. C'est vraiment tout à la fin du mois.

– Et mi-septembre, qu'en pensez-vous ? lança Fabienne. La lumière est si belle, l'arrière-saison est souvent splendide.

Tout le monde en était d'accord. Tout, au fond, convenait à tout le monde. Sauf que le samedi de la mi-septembre tombait un 11 septembre, fâcheuse date pour un funeste anniversaire, même si aucun de nous ne connaissait de victime du World Trade Center. C'était bête, sans doute, mais nous convînmes de céder à cette bêtise, d'autant que l'assumer était la meilleure preuve qu'on ne l'était pas, bête. D'ailleurs, on ne se mariait pas non plus le Jour des morts.

Nous nous décidâmes pour le 18.

« Où ? » L'église alla de soi : Fabienne et Simon en tenaient pour Saint-Pierre-du-Gros-Caillou où ils avaient des accointances. Par chance, leur domicile était sur le secteur de la paroisse. « Parce que, figurez-vous, dit Fabienne, c'est comme l'école. Il y a une carte paroissiale comme il y a une carte scolaire. » Ni Marie ni moi, plutôt mécréants, n'avions rien d'autre à proposer. Va pour le Gros Caillou. On prendrait langue avec le curé pour le samedi 18 septembre vers seize heures trente – dix-sept heures.

Pour le lieu de la réception, la concurrence fut plus âpre. On évoqua la maison de l'Amérique latine, boulevard Saint-Germain, on rétorqua École militaire, on riposta Pavillon Dauphine, on avança Automobile Club (est-ce qu'au moins on y faisait des mariages ?), Cercle militaire et... oui, vous savez, cet endroit si pittoresque, à Bercy, je ne sais même pas si ça se loue, où sont entreposés des matériels de forains, de vieux chevaux de bois, des manèges... Nous tournions en rond, convaincus par rien, un peu fatigués aussi.

C'est alors que Simon...

– Je me demande, dit-il, si je n'ai pas une bonne idée, mais radicalement différente. Un château, magnifique, dans un parc superbe, avec pièces d'eau, grandes allées, pelouse, que ses propriétaires louent pour ce genre de festivités. Tu te souviens, Fabienne, nous y sommes allés il y a combien ?... six, sept ans, pour le mariage de..., comment s'appelait-il ?... peu importe, le fils de vagues amis que nous avons perdus de vue.

Fabienne s'en voulait de n'y avoir pas pensé. Elle raconta que l'endroit était divin, raffiné, enchanteur. Surtout à la mi-septembre, quand la lumière est encore chaude, dorée, et commence d'être rasante, le soir.

– Mais c'est un château comment ? interrogea Marie.

– Oh ! Attendez ! Ce n'est pas Vaux-le-Vicomte, il s'en faut. Il n'y a pas non plus de créneaux ni de pont-levis, rassurez-vous. Non, c'est une grande bâtisse, fin XVIII$^{e}$ je dirais, mais belle, harmonieuse, qui en impose.

– Mais c'est forcément loin de Paris, non ? m'inquiétai-je.

– Une cinquantaine de kilomètres, si je me souviens bien, répondit Simon. C'est dans le Nord-Ouest, je crois, près d'un petit village. Je ne m'en souviens pas comme d'une expédition.

Marie n'y voyait aucun inconvénient. Quitter Paris serait si dépaysant, et agréable, et champêtre. Un peu comme les grands mariages d'autrefois à la campagne, sauf que là ce serait dans un château, rit-elle.

L'idée, comme un alcool, faisait flamber son imagination. Elle s'y voyait déjà, et voyait la cérémonie, et demandait à Fabienne ces petits éléments – comment c'est ? et les salons ? et le parc ? – qui donnent corps aux rêves naissants.

Simon dit qu'il pouvait se renseigner, retrouver le nom du lieu, s'assurer que les propriétaires, à supposer qu'ils soient les mêmes, continuaient de louer. Ça n'engageait à rien. Sauf que nous convînmes tous que c'était engageant.

## 2

Dans la voiture, Marie en parlait encore. Je m'étonnais qu'elle ne dise rien de l'appartement que nous venions de quitter. C'était pourtant notre habitude : disséquer les intérieurs, bibelots, rideaux, tableaux. Et les photos, donc ! Un très bon indicateur de l'idée que nous nous faisions du mauvais goût avec, au top du palmarès, la photo de mariage bien en évidence, l'homme en pingouin, la femme en pièce montée, les deux dans un décor bucolique où ne manquait que Bambi. Rien de tel chez Fabienne et Simon. S'ils péchaient, ce n'était pas par manque de goût. D'ailleurs, ils ne péchaient pas.

J'interrompis les plans qu'échafaudait déjà Marie.

– Tu les trouves comment ?

– Eux ?

– Oui, évidemment ! Je parle des futurs beaux-parents de ton fils, insistai-je pour qu'elle ne répondît pas à la légère.

– Écoute, nous n'avons passé qu'une soirée ensemble, mais elle ne pouvait pas être meilleure. Ils ne se la jouent pas.

C'était, chez Marie qui pimentait de temps à autre sa bonne éducation de formules gouailleuses – celle-ci signifiant que Fabienne et Simon ne faisaient pas dans l'étalage – une appréciation très positive. Marie reniflait les faiseurs à cent lieues.

– Oui, en effet, c'est aussi ce que je pense.

Je sentis ma main droite encore imprégnée de l'eau de toilette de Simon.

– Mais… ? poursuivit Marie que la brièveté de mon commentaire avait alertée.

– Mais rien. Non, rien d'autre. Ils m'ont l'air très bien. Sympathiques, ouverts…

– Et puis, dit-elle, nos affaires ont bien avancé. Au mieux, je trouve.

– Faut voir. Fais attention à ne pas trop t'emballer. Le château, c'est une idée, ce n'est pas fait. Même l'église, faut voir.

– D'accord, dit Marie. Mais j'y crois. Ce serait tellement bien !

*

Elle y croyait. Elle voulait tellement que tout soit tellement bien.

Tel fut le début de l'engrenage. Dès alors, je le sus avec un mélange d'effroi et de fatalisme.

# 3

Quand nous nous revîmes quinze jours plus tard, ce furent Fabienne et Simon qui vinrent chez nous, aussi délicieux en invités qu'en hôtes. Ces deux-là, décidément, avaient du charme et le chic pour répandre simplicité et chaleur autour d'eux. Je m'étais demandé comment je les trouverais, la seconde fois. Je m'étais même préparé à mettre un bémol à mon premier jugement : peut-être avions-nous tous trop voulu nous entendre, ou trop redouté de ne pas nous entendre ; peut-être nous étions-nous trop enthousiasmés sur le simple constat qu'ils n'étaient pas revêches ou trop différents de notre couple ; peut-être, désormais à l'abri d'une grosse mauvaise surprise, serions-nous moins enclins à les trouver épatants. Je m'étais donc attendu à un correctif dans notre jugement. Ce n'eût pas été forcément très grave. Un peu décevant, c'est tout. Mais non, ils étaient venus chez nous et de nouveau le charme opérait.

J'avais même pris plaisir à retrouver l'odeur du parfum qu'exhalait Simon, un détail qui aurait tout aussi bien pu provoquer mon rejet.

Fabienne et Marie conversaient tandis que Simon découvrait avec curiosité notre appartement qui ne ressemblait en rien au sien. Grandes baies en ogive, haut plafond et parquet à chevrons. Pas la moindre photo de mariage, on s'en doute, ni sur la console ni sur les rayons de la bibliothèque qui occupait tout un pan de mur. Mais, question goût, il y avait matière à débat : une immense toile, accrochée à cru, sans encadrement, surplombait deux canapés. Elle représentait une portion du périphérique parisien, le gris du bitume, le gris des glissières latérales, le gris d'un mur de béton, le gris d'un ciel de pluie, l'ombre tutélaire d'immenses lampadaires penchés sur la chaussée ruisselante et, bavant sur elle, le rouge orangé des feux arrière des voitures.

J'avais d'emblée été envoûté par cette toile peu riante. Elle disait tout de notre monde urbain, du quotidien glauque, fonctionnel, presque carcéral que l'on avait instauré au nom de la liberté de déplacement. Le périph', c'était le monument le plus fréquenté de France, un chemin de ronde avec ses rampes d'accès et ses portes – de Versailles, d'Orléans, de Clignancourt... – comme autant de stations, un chemin de croix minuté sur affichage lumineux – Porte de Bercy : trente-six minutes, Porte Maillot : quarante-cinq minutes. Il valait bien un tableau, comme la voûte en fer de la gare Saint-Lazare avait mérité d'un Monet, ou les croisements métalliques du Pont de l'Europe d'un Caillebotte.

Je dis à Simon qu'il avait le droit de ne pas aimer et que, d'ailleurs, il ne serait pas le premier ni le seul à trouver incongrue l'intrusion du périph' dans un salon bourgeois. Simon dit qu'il n'en était rien, qu'il trouvait à la toile une force poétique inattendue, qu'il n'avait jamais rien vu de tel : cette gravité et ce charme émanant des carrosseries, et du goudron, et de la pluie, sans que l'homme apparaisse jamais, terré sous les tôles, son chez-soi, son antre. Il m'interrogea sur le peintre. Je pouvais lui en parler longtemps. Je le connaissais depuis des années, avant même que mon travail me conduise à fréquenter artistes et galeries. Je l'aimais beaucoup, ce qu'il faisait et ce qu'il était. Simon dit qu'il aimait aussi ce qu'il faisait et je ne doutai pas que ce fût vrai.

– Alors, ça marche ? Bravo, Simon !

Marie n'avait pu contenir plus longtemps sa joie. Trois jours avant, Fabienne l'avait appelée pour lui annoncer la nouvelle : l'église, ça marchait. Le château pour la réception, ça marchait aussi.

– Ça peut marcher si nous confirmons, corrigea juste Simon. Je n'ai pris qu'une option pour le château. J'attendais que nous en parlions ce soir. Mais j'y suis allé, oui, et je n'ai pas été déçu par rapport à mon souvenir, ça non. C'est vraiment quelque chose, mais pas du tout m'as-tu-vu. Regardez plutôt. J'ai pris des photos.

Nous nous tassâmes sur un même canapé pour cette visite guidée. Simon n'avait pas lésiné : photos d'intérieur, petit salon, grand salon, boudoir, bibliothèque, emplacements possibles des buffets, le parc alentour, la roseraie ici, le verger là, plus loin l'espace où garer les voitures. Et même, devant la façade d'entrée, le propriétaire lui-même, un homme d'un certain âge, sec et droit, pris à la dérobée. Nous nous accordâmes à trouver ça très, très bien. À nouveau une certaine excitation nous gagna. C'était bien parti, le mariage serait beau.

Simon avait un autre motif de contentement : la petite négociation qu'il avait menée avec le châtelain et qui n'avait pas été vaine. Il avait lâché ça d'une manière drolatique, l'air d'un gamin farceur, un peu voyou. L'immobilier, c'était son domaine, non ?

– Il faut que je vous dise tout de même à combien se monte cette vie de château, fût-ce le temps d'une soirée !

Il sortit un papier de son portefeuille pour être plus précis sur le chiffre.

Je restai impassible. Sans avoir même converti en francs la somme inscrite en euros (ce que je ne pouvais toujours m'empêcher de faire quand je voulais vraiment mesurer le prix des choses), sans même avoir divisé ladite somme par deux (le montant de ma part), je compris qu'il fallait être riche pour s'offrir des plaisirs de riche.

J'en étais à mes calculs incertains quand je m'aperçus que trois regards me fixaient, attendant que je dise quelque chose.

Est-ce que ça m'allait, ou pas ? Est-ce qu'il y avait un problème, un empêchement, un obstacle, un os, une opposition, une impossibilité qui mettraient tout en l'air : adieu château, parc, salons… ? Ils me disaient tout ça, les trois regards. Et il m'aurait fallu un sacré courage pour être celui par qui arriveraient leur déception, leur déconvenue, leur désappointement, leur désillusion, leur tristesse. Leur vindicte ?

– Tout va bien, les rassurai-je aussitôt. Tout va. Mon cher Simon, vous pouvez réserver ferme.

Je levai mon verre. Nous trinquâmes à nouveau. Quand on a l'église et le château ! Dans ma tête, je vérifiai ce qu'avait donné un premier calcul mental. Nom de Dieu, c'était bien ça, pas d'erreur ! Hé quoi, ruminai-je, quand on s'enthousiasme pour un château, il ne faut pas s'attendre au tarif d'une salle des fêtes. Et puis, Marie était si heureuse, et Fabienne. Comme le seraient Benoît et Anne-Sophie (très mignonne, Anne-Sophie) quand on le leur dirait, maintenant que c'était fait.

Ce fut bel et bien le début de l'engrenage.

*

Nous passâmes à table.

Pour tout le reste – l'intendance et son train –, nous convînmes que nous avions le temps de nous informer avant d'en décider.

Je sus que je n'avais rien à attendre de bon de ce sursis. J'avais dit oui au château, j'y passerais pour le reste, et le reste serait à l'unisson du château. On ne dit pas « Tout va bien » si on ne peut pas suivre. Il faut dire d'emblée « Attendez ! Je voudrais ne pas trop exploser un certain budget », ou quelque chose de ce genre.

Je n'avais pas osé. Pour ne décevoir personne, me dis-je pour m'excuser. Mais, évidemment, il y avait autre chose.

Trois fois rien qui s'était joué en trois secondes, le temps d'un regard.

Celui de Simon, tout à l'heure, quand ils attendaient tous ma réponse.

Il y avait eu, oui, dans cet échange de regards, même pas un soupçon, moins qu'un soupçon, moins qu'une once de soupçon de défi. L'avais-je inventée, cette once de soupçon de défi dans l'œil interrogatif de Simon, qui, peut-être, allez savoir, mais tout de même, disait : « Alors, tu cales déjà ! Tu ne peux pas suivre ? On parle château et on crie misère ? »

En bon mâle j'avais suivi, comme au poker auquel je ne jouais pas.

## 4

Rencogné dans le fond de mon bus habituel, je ne pensais qu'à ça : le regard de Simon, le défi que j'avais cru y lire. Simon si cordial, mais Simon rival ?

Aux yeux des passagers qui d'ailleurs se moquaient bien de moi, je pouvais paraître regarder la circulation.. Mais non, je me repassais le film de cette scène fondatrice. Moi : « Tout va bien… tout va. » Et moi encore, flambard : « Mon cher Simon, vous pouvez réserver ferme », comme j'aurais dit à la cantonade d'un restaurant bondé : « Champagne pour tout le monde ! » pour faire le malin, pour le panache d'une seconde de gloriole.

Sur la banquette me faisant face s'installa un jeune couple monté à l'arrêt « Montparnasse 2 – gare TGV ». Lui mit entre ses jambes sa valise à roulettes. Elle lui prit le bras et posa la tête sur son épaule. Elle avait un très joli visage.

Elle était épanouie. Elle souriait les yeux fermés, la joue contre le col de son blouson Lafuma Gore-Tex. Que s'étaient-ils dit qui la rendît si béatement heureuse ? Ils ne se parlaient pas, ou juste quelques mots – à quelle station ils devaient descendre. Mais elle souriait sur son Lafuma. Et je voyais dans sa plénitude le signe d'un moment important entre eux, intense et muet. Est-ce qu'elle attendait un enfant ? Est-ce que, promis-juré, là, quelques minutes avant, sur le quai de la gare, lieu propice à ça, ils s'étaient dit qu'ils n'allaient plus se quitter ? Se marier, pourquoi pas ?

Se marier. Tout va bien, avais-je dit en réponse au regard cordial, rival de Simon. Et, depuis, tout n'allait pas bien. Ce n'était même qu'un début.

Mon bus était arrêté à l'entame d'une longue rue étroite. À son nez, un camion-poubelle commençait sa récolte. À quoi ça tient ? À quelques secondes près, le bus l'aurait devancé. On en avait pour dix minutes d'un quasi-surplace qui puait.

*

Mon esprit mit à profit cette fâcheuse occurrence pour vagabonder jusqu'au petit village de Charente-Maritime où j'avais une maison. Là-bas, il n'y avait pas de bus, mais des cars, et si ça puait c'était la mer, parfois, quand une marée à fort coefficient avait déposé des algues si haut, sur la côte, qu'elle n'arrivait plus à les atteindre, les happer, les rapatrier, qu'elles mijotaient au soleil, les algues, et qu'un vent venu de l'ouest rabattait leur fermentation vers les terres. C'était désagréable, mais passager et naturel. On ne pouvait prendre en grippe ce genre de désagrément. C'était comme ça. Tout était comme ça, là-bas. Sauf les hommes qui sont partout pareils, à peu de chose près.

À peu de chose près, est-ce que le regard de mon voisin, l'été précédent, avait été si différent de celui de Simon ? Moins retenu, sans doute, plus évidemment malin, plus manifestement intéressé, mais avec le même défi muet, celui que lance en affaires un paysan à un Parisien.

J'avais entendu dire qu'il voulait vendre un terrain. Peut-être qu'à quatre-vingt-six ans il songeait à mettre de l'ordre dans ses affaires, peut-être qu'il voulait disposer de l'argent : toujours ça que ses héritiers n'auraient pas ! Je m'en moquais, mais pas du terrain qui jouxtait le mien. Que qui que ce soit d'autre s'en empare, et une maison construite en limite de propriété aurait vite bouffé mon soleil et bousillé ma tranquillité. J'en parlai donc au voisin qui me vit venir de loin. Passez donc à la maison ce tantôt, me dit-il ; on causera.

Ce tantôt était vague. Je l'attendis un bon moment. Exactement, songeai-je, les tactiques les plus raffinées des grands cabinets de recrutement. Faire poireauter le candidat, le laisser gamberger, l'entretien lui paraît d'autant plus décisif, il le redoute chaque minute davantage. Manière d'attendrir la viande.

L'autre finit par rappliquer comme si de rien n'était.

– J'arrive des crabes, dit-il juste.

Il n'y avait rien à rétorquer à ça. Les crabes, ça ne se commande pas. On ne siffle pas la mer pour qu'elle dégage plus vite les rochers.

Je m'entendis demander s'il en avait pris. Le vieux bougonna un borborygme incompréhensible, comme si ça ne regardait que lui. Odieux. Je repensai aux techniques de déstabilisation à usage des managers. Ne pas faire l'aimable, en dire le moins possible, alterner le chaud et le froid, prendre à revers...

– Un petit coup ? me dit-il.

Surpris, je m'empressai d'accepter volontiers. D'ailleurs, je n'avais pas le choix. Il menait la partie. J'étais la proie. Comme ces soles que l'autre harponnait au trident en arpentant le bord de l'eau, comme ces congres que sa pique de fer allait débusquer au fond des écluses de pierre.

*

La benne avait fini par dégager. Et le bus avait repris son chemin à stations multiples.

... Le regard. Nous nous étions assis de part et d'autre de la table que recouvrait un tissu molletonné à grands ramages. Alors, ça vous intéresserait ? avait lancé le vieux. Et c'est là que tout était passé dans son œil – un amusement, une perversité, une avidité, un jeu, toutes ces choses, dans son œil, qui n'avaient pas du tout été dans celui de Simon, mais autre chose encore qui disait : quand on s'intéresse, faut pouvoir. Là, comme dans l'œil de Simon.

## 5

Nous ne nous revîmes pas de quelques semaines. Les préparatifs du mariage n'étaient pas tels, encore, que notre vie en fût accaparée.

J'avais été assez pris. Le Salon du livre, fin mars, était toujours l'occasion de rencontres, cocktails ou papotages qui ajoutaient à mon ordinaire. Le journal consacrait plus de place aux livres, tandis que les films n'en continuaient pas moins de sortir dans les salles, les pièces de se monter et les spectacles de tourner. L'affaire, pourtant, ne m'était pas sortie de la tête. Elle la colonisait, même.

Le big-bang, c'était le château. Le château qui allait donner le *la* à tout le reste, forcément. Est-ce qu'on invite peu de gens dans un château qui ferait hanté à moins de quatre ou cinq cents invités ? Est-ce qu'on sert un champagne ordinaire dans un château ? Est-ce qu'on y invite par des faire-part communs à une réception ? Est-ce qu'on y danse sur des CD, dans un château, quand une scène est prévue pour l'orchestre ? J'en oubliais sûrement. Sans savoir pour combien au juste j'en serais, je savais que c'était déjà trop.

C'est là que je pensai à Balzac. *Help* !

Quand je réfléchissais au moyen de m'en sortir, rien ne me venait à l'esprit, sinon du n'importe quoi, genre la poêle à frire qu'on balade sur les plages à la recherche de bijoux ou de pièces de monnaie perdus à la belle saison par les estivants, ou genre Loto. N'importe quoi, sans compter même que les numéros de mes bus favoris – le 88, le 89 et le 70 – ne rentraient pas dans une grille, c'est dire !

Le 88 – Montsouris-Tombe-Issoire – Hôpital européen Georges-Pompidou – se révéla pourtant un bon numéro. C'est là, assis à l'arrière, que j'eus ma première idée. Enfin, début d'idée. Parce que le schéma qui m'était venu à l'esprit tandis que le 88 contournait la grande fontaine pavée de la place de Catalogne (le prix exorbitant qu'elle avait coûté aurait cent fois comblé mes propres besoins), ce schéma, donc, supposait tout un dispositif et quelques petits arrangements entre amis.

Et avec ma conscience, aussi.

# 6

Chacune de son côté, mais en liaison régulière, Marie et Fabienne avaient investi le marché du mariage. Marie me racontait jusqu'à plus soif ses visites sur l'un des sites web spécialisés. Il y en avait huit principaux, semblait-il. Tous bourrés d'idées et d'adresses. Rien n'échappait à ses investigations : elle avait déjà noté les trois adresses, enfin deux surtout, réputées pour leurs faire-part dont le modèle le plus simple, sur papier vélin d'Arches, coûtait 365,80 euros les cent (avec enveloppes doublées), les autres relevant d'un devis personnalisé. Elle savait tout des traiteurs convenables, des loueurs de nappes damassées ornées de roses, d'assiettes en verre sablé, de verres gravés, de flûtes et de photophores ; n'ignorait rien de l'endroit où l'on pouvait louer les services d'une formation de cinq à six chanteurs de gospels (« Ce pourrait être amusant, tu ne trouves pas ? ») à 1 300 euros la soirée (avec supplément au-delà d'une heure du matin) ; s'approvisionner en feux d'artifice ; s'équiper en éclairage de façade ou de parc ; réserver la venue d'un magicien pour distraire les enfants qui, sinon, s'ennuient comme des rats morts, tout déguisés qu'ils soient en petits lords Fauntleroy, ou d'un caricaturiste pour croquer les adultes. Et encore m'épargnait-elle la liste des studios photo à même d'assurer le reportage de la fête. Harcourt avait été mentionné.

Chaque idée nouvelle me poignardait. Le pire n'était pas encore sûr, mais il se précisait.

– Dis-moi, tu aimes les papillons ?

Je m'abstins de répondre, moins surpris par l'incongruité de la question qu'effrayé à l'idée de m'empêtrer dans un piège inédit (en réalité, bien sûr, j'aimais les papillons, qui n'aime pas les papillons ? Sauf les nocturnes qui m'ont toujours fichu la trouille et qui, quand on les écrase, laissent sur les murs un mélange de pus jaune et de poussière noirâtre).

– Parce que figure-toi qu'on peut remplacer la pluie de riz ou de pétales de fleurs, à la sortie de l'église, par un lâcher de papillons.

Bingo ! Voilà au moins une idée qu'aurait pu avoir Honoré de Balzac ! Il existait donc un type assez ingénieux pour avoir trouvé ce filon à papillons. Deux mois avant le mariage, vous passiez commande. Douze jours avant, vous receviez les chrysalides, chacune expédiée dans une petite boîte individuelle. Trois jours avant, la bestiole devenait papillon. Prête à être lâchée le jour J. Allez, je vous en mets douze douzaines pour 540 euros.

Je dis que je trouvais ça chichiteux. Je me mis à moins aimer les papillons, qui n'y étaient pour rien. Mais cette histoire en disait long sur les menaces inventives que j'aurais à affronter. Je n'osais espérer déjouer la plupart. L'addition enflait inéluctablement.

*

En nous accueillant chez lui ce soir-là, Simon avait arboré un air particulièrement amusé. Marie et moi comprîmes vite pourquoi. Sur la table basse du salon étaient disposées plusieurs bouteilles de champagne dont les étiquettes avaient été soigneusement cachées. Elles étaient là, emmaillotées jusqu'à la gueule comme des momies.

– Hé oui, rigola Simon. Si vous croyez qu'on est là pour s'amuser ! Je sais, c'est un peu pénible, mais bon, nous ne nous séparerons pas sans avoir choisi le champagne du mariage.

Nous prîmes tous les airs faussement accablés de qui s'attelle à une corvée. Marie prévint qu'elle ne connaissait pas grand-chose au champagne, sauf qu'il y avait des bulles et qu'elle aimait bien. Ma compétence n'était guère meilleure. Au moins, dis-je, je sais reconnaître un bon champagne d'un mauvais.

Mais je n'eus pas à tergiverser. L'un des champagnes servis était vert, acide ; un autre dégageait d'énormes bulles qui le faisaient mousser exagérément et créaient un malaise dans la bouche ; un troisième était très vineux ; le quatrième, en revanche, était un modèle d'équilibre et de finesse. Il aurait fallu être cracheur de feu pour ne pas le sélectionner sans hésitation.

– Même moi, je sens le fossé qui le sépare des autres, s'émerveilla Marie, toute ébahie d'être intronisée dans la confrérie des œnologues.

Épatant ! On était tous d'accord. On ne s'étriperait pas autour d'une étiquette. Nos enfants avaient bien choisi leurs beaux-parents.

Simon démaillota l'heureuse élue. Je déglutis en découvrant la marque. Évidemment qu'elle était bonne, encore heureux qu'elle le fût !

– Si je puis me permettre, mon cher Simon, vous avez triché. C'est un peu facile, non ? Car voyez-vous, mesdames, dis-je en me tournant vers Fabienne et Marie, ce grand manipulateur nous a servi de la bibine à bulles à côté d'un grand champagne. Même des ignares comme nous ne pouvions nous y tromper.

Je riais évidemment de la manœuvre ainsi éventée, mais n'oubliai pas de tenter une contre-offensive :

– Non, non, votre test n'est pas valide. Je le récuse absolument. J'organiserai moi-même une dégustation, mais pas éhontément truquée, elle. Ce n'est pas joli-joli, ce que vous avez fait, Simon…

Les autres s'amusèrent de cette fausse indignation et acceptèrent ma proposition de contre-expertise. C'était toujours un plaisir. D'autant, entendis-je dire, qu'une deuxième manche n'empêchait pas, dès ce soir, de s'arrêter sur ce si bon champagne qui avait plu à tout le monde.

– Ah non, protestai-je dans une ultime tentative pour empêcher que le poste champagne compte pour beaucoup dans ma ruine. Goûtez d'abord mes bouteilles, on a tout le temps de se décider, plaidai-je, faussement serein.

C'est alors que Simon emporta le morceau. Il dit que ce champagne qui faisait l'unanimité, c'était celui que l'on buvait à la banque. Comme on n'imaginait pas qu'on en servît à la cantine du personnel, il fallait entendre que c'était le champagne réservé à la direction, celui que l'on servait dans les hautes sphères, en de grandes occasions ou à des hôtes de choix. D'un coup, ledit breuvage prit une aura supplémentaire, comme si les illustres bouches qui le buvaient l'irradiaient, en retour, de leur propre prestige. On ne pouvait lutter contre cette onction-là.

Moins encore quand Simon dit qu'il pouvait grouper sa commande – enfin, celle du mariage – avec la commande de la banque, qu'ils auraient tout à y gagner, que ce n'était pas négligeable, mais enfin toujours bon à prendre.

Sur ce parfum de réduction, la messe fut dite, et moi au tapis. Qui pouvait comprendre que je m'obstinasse à refuser une bonne affaire ? Les bonnes affaires, même ruineuses, ne se refusent pas, sauf par les imbéciles qui sont les seuls à penser que les bonnes affaires au-dessus de leurs moyens ruinent aussi sûrement que les mauvaises affaires hors de prix.

*

La soirée fut délicieuse. Nos charmants hôtes, irréprochables, me saignaient méthodiquement. Voilà la vérité. Une phase après l'autre. Le château et son train, hier, le champagne aujourd'hui, et demain le reste, qui devrait être à l'unisson.

Était-ce la traîtrise du champagne, mais je parvins tout de même, au fil de la soirée, à un certain détachement. Je refoulais mes mauvais soupçons, j'exonérais mes pousse-au-crime de toute perversité. Non, il n'était pas possible que Simon m'acculât en toute conscience, qu'il se jouât de moi jusqu'à me faire baisser les yeux et la culotte. D'ailleurs, il ignorait tout, forcément. Même Marie ignorait tout.

Contrairement à beaucoup de femmes qui semblent ne pas s'en préoccuper, elle avait, vis-à-vis de l'argent, une distance désinvolte où n'entraient en rien le souci de l'économie, la peur du manque, le spectre du rouge, non plus que la frénésie d'achats ou le désir de possession. Par exemple, quand je lui avais parlé du terrain à vendre, mitoyen de notre maison charentaise, elle avait dit : « Ce serait bien. » Pas « On peut ? », pas « Est-ce que c'est bien raisonnable ? » À moi de savoir si on pouvait ou si ce n'était pas raisonnable. Quelle que fût ma décision, il ne serait pas venu à l'esprit de Marie d'y trouver à redire.

Elle était vraiment particulière, m'attendrissais-je. Son travail lui procurait des ressources aléatoires. Elle était traductrice pour une maison d'édition. Du russe. On devine que les manuscrits en russe n'étaient pas pléthore. Les traducteurs à l'avenant, d'ailleurs...

– Un peu plus de champagne ? répéta Simon.

– Et comment, dis-je, mais du bon !

J'étais seul à savoir à quel point j'étais mal. Rincé, lessivé, j'étais. Impossible d'emprunter le moindre sou à ma banque. J'étais déjà au plafond et mes remboursements mensuels me laissaient juste de quoi vivre convenablement entre Paris et notre maison. Pas la moindre économie.

*

Le terrain, bien sûr, n'était pas pour rien dans tout ça. Le vieux avait fini par me le vendre. Du racket, pour dire le vrai. L'animal avait du métier. Longtemps il avait été courtier en huîtres, ce qui rodait à la négociation. Puis, une méchante petite bête avait mis à mal tout le parc et la profession. C'est l'époque où les japonaises avaient remplacé les portugaises, ou quelque chose comme ça. Mon voisin avait laissé tomber. Il s'était reconverti dans l'assurance. Courtier, encore. Ce n'était pas si différent. Une huître ou un contrat, il s'agissait toujours de faire gober le client. Pour le client, ce n'était pas pareil, ne serait-ce que parce que l'huître n'est pas obligatoire. Mais, pour lui, c'était toujours un commerce où il devait faire son chiffre.

Autant dire que j'avais perdu d'avance. J'étais demandeur, intéressé, aux premières loges. Déjà, là, vous êtes fichu. Mais c'eût été trop facile pour le négociateur professionnel qu'était resté le bonhomme. Afin de corser la partie, il semblait s'être donné un challenge autrement plus ambitieux : voir jusqu'à quel prix de folie un Parisien était capable d'aller pour acquérir un bout de terrain sableux qui ne valait pas un sou vingt ans auparavant, ce qui était d'ailleurs injuste parce que le sable, c'est bon pour l'asperge.

J'avais bien pu dire que, tout Parisien que je fusse, mes moyens n'étaient pas illimités, le vieux semblait n'avoir rien entendu. Occupé à faire tourner son pineau dans un verre à moutarde reconverti à boire, il saoulait sa proie – moi – de mille références. « Tenez, à la sortie du village, l'ancien boulanger a vendu sa parcelle à vous savez pas combien le mètre ? Je parle en francs… » Suivait un chiffre à tomber, d'où il ressortait que le prix dont nous discutions pour notre affaire était un cadeau. Entre voisins, n'est-ce pas… Sans compter que l'ancien boulanger, son prix, c'était il y a plus de trois ans, presque quatre.

Négocier une baisse devenait, dans ces conditions, une insulte au voisinage, un manque de respect à l'autochtone, du mépris pur et simple, de quoi vous forger une réputation que tout un village vous ferait payer. Parti de très haut, mon vendeur y resta. J'avais dû faire semblant de lui en être reconnaissant. Le saigné remerciant son saigneur.

*

– Et donc, si j'ai bien compris, rebelote chez vous pour une dégustation ?

Tout sourire, Simon nous raccompagnait à la porte de son appartement.

– Je ne me déroberai pas, crânai-je. À bientôt, donc.

Marie et moi prîmes l'ascenseur.

# 7

Le siège de la FNIFCD se trouvait dans une rue du VIIIe arrondissement chic et austère.

Quelques jours auparavant, j'ignorais encore jusqu'à l'existence de ce noble organisme que j'avais traqué et dépisté sur Internet en tapant « fleurs ». Peu après, je tombai sur cet acronyme, autant dire la Fédération nationale interprofessionnelle de la fleur coupée décorative. Pas vraiment poétique, mais ça ressemblait à ce que je recherchais.

Deux minutes d'attente et l'on me fit entrer dans le bureau du président de la Fédération qu'escortaient son secrétaire général et le directeur de la communication. La pièce était vaste. Nous nous assîmes dans un des coins, autour d'une table de travail, sous une grande reproduction des *Tournesols* qu'encadraient deux appliques murales en forme de tulipe.

– Cher monsieur, me dit le président, votre appel, dont m'a fait part Jacques Walter, notre responsable relations publiques, m'a intéressé et intrigué. Je ne suis pas bien sûr, pour tout dire, d'avoir compris votre proposition. Mais nous sommes ici pour y voir plus clair, n'est-ce pas ? Dites-nous donc en quoi la FNIFCD peut être utile au journaliste que vous êtes.

– Parce que nous travaillons tous les deux dans la culture, tout simplement, répondis-je.

Ma réponse les fit rire. J'avais cogité cette repartie et fus soulagé de la voir fonctionner. Je me détendis un peu. Ce job était nouveau pour moi et, si ma proposition était tout ce qu'il y a d'honnête, je n'en oubliais pas moins que son but premier, inavouable, était de financer un château, du champagne et un vol de papillons. En attendant la suite. De quoi être nerveux.

– L'idée, poursuivis-je, la voici. Vous connaissez les fleurs et moi les livres. Mettons-les au service les uns des autres pour les faire tous prospérer.

La formule était belle, mais elle les laissa plus interdits qu'enthousiastes.

– Un joli programme, assurément, bredouilla le président de la FNIFCD, mais je ne vois pas bien…

– Un prix littéraire, lançai-je pour dissiper toute perplexité. Ce que je vous propose, c'est de créer avec moi un prix littéraire qui consacrerait un livre en même temps qu'il assurerait à votre profession une notoriété haut de gamme.

J'imaginais bien que mon projet serait de nature à les intéresser. Un petit entrefilet paru dans la presse m'avait instruit de l'érosion des ventes de fleurs coupées et du souci de la profession de les relancer. Mais je ne m'attendais pas à l'excitation qui saisit mes interlocuteurs. Ils avaient pensé campagne de pub, spots radio ou affichage. Et, d'un coup, grâce à moi, ils se voyaient déjà flirtant avec l'Académie, cités dans les pages culturelles des journaux, accolés à quelques vedettes médiatiques, grandis par leur cause. La fleur coupée décorative au service de la Littérature.

– Et inversement, leur rappelai-je.

Ils ne l'avaient pas oublié. Nous passâmes deux heures à en parler. Concept, budget, calendrier, qui fait quoi, les retombées possibles, les membres du jury : nous listâmes tous les points à régler comme des stratèges de multinationale. On nous apporta une boisson fraîche dans un pichet en forme d'arum. Tout était ouvert à la discussion, naturellement. J'insistai juste sur un point qui me paraissait capital : le montant du prix que recevrait le lauréat. Il devait être substantiel.

Les mines se renfrognèrent quelque peu.

– Substantiel, c'est-à-dire ? intervint le secrétaire général.

– Oh, rassurez-vous, dis-je. L'ensemble de votre investissement coûtera infiniment moins cher qu'une banale campagne de publicité. Mais ce poste-là, en effet, doit être assez attractif, ne serait-ce que pour faire sortir le nouveau prix littéraire de la masse des autres, et que cette récompense devienne l'une des plus prisées.

Ils étaient tout prêts à le croire. Sonnés, flattés, un peu fatigués aussi. Je proposai qu'on en restât là. Beaucoup de choses avaient été dites. Qu'ils se donnent le temps d'y réfléchir – pas trop, tout de même –, de consulter leur bureau ou leurs adhérents, si nécessaire. Je sentis que l'envie les tenait.

Et moi, pour les faire rire une dernière fois :

– Mao a eu sa campagne des Cent Fleurs. Vous vous souvenez peut-être : « Que cent fleurs s'épanouissent... » Pourquoi n'auriez-vous pas votre prix des Mille Fleurs, ou des Quatre Roses, ou de la Tulipe d'or ? Ah oui, c'est une chose à laquelle il faudra bien réfléchir : le nom de ce prix. Si vous êtes d'accord, bien sûr.

Je notai en partant que la poignée de porte était une marguerite en bronze.

## 8

Au lendemain de cette entrevue prometteuse, j'eus une soirée houleuse. Benoît et Anne-Sophie étaient venus dîner à la maison. Et de quoi parlâmes-nous ? Des préparatifs de leur mariage, il va sans dire. Jusqu'à maintenant, ils avaient eu la gentillesse de n'être pas mécontents de leur tournure. L'église était à leur convenance, le château leur allait bien, le champagne de Simon, c'était super. Bref, nous avions convenablement travaillé. De quoi nous valoir une note au-dessus de la moyenne. Trop aimables !

Leur contentement, pour tout dire, commençait à m'énerver. Tout ça, pour eux, allait de soi. C'était très bien, mais naturel. À voir leur réaction satisfaite, certes, mais pas « Vous êtes fous » pour deux sous, on aurait dit qu'ils se sentaient légitimes dans les festivités que leurs parents organisaient pour eux. Et parfaitement inconscients de la petite fortune qu'elles représentaient.

Là-dessus pas un mot, pas une interrogation. Vulgaire, sans doute !

Est-ce qu'ils réalisaient, les petits cons, où tout ça allait me mener ? Ce que j'allais être obligé de faire ? Ni l'un ni l'autre ne semblaient s'en soucier.

Alors, quand Benoît me lança, désinvolte, que le champagne, c'était très bien, mais qu'il faudrait aussi penser à des alcools forts, genre vodka, pour tenir la nuit, je m'échauffai :

– Oh, oh, du calme ! Moi, je m'occupe d'une cérémonie de mariage, pas d'une soirée de picole pour tes copains, dis-je.

Piqué, Benoît me fit valoir que ce mariage, c'était quand même le sien, et que ses copains en seraient aussi.

Je lui rétorquai qu'il ne lui était pas interdit de s'en occuper. Libre à lui de faire venir autant de caisses de vodka qu'il voudrait ! Après tout, il avait commencé à travailler, il gagnait de l'argent et plutôt pas mal, pour un débutant.

Benoît se cabra, me demanda « Qu'est-ce qui te prend ? », ajouta « C'est mon mariage qui te met dans cet état-là ? Ça t'ennuie tant que ça ? », poursuivit « Tu veux qu'on arrête tout, qu'on annule et qu'on fasse ça à six ? »

L'animal, par sa surenchère, me poussait à la défensive. Je fis retomber la tension. C'était trop bête de partir, comme ça, dans les cintres. Je dis que j'étais nerveux, fatigué en ce moment.

Benoît s'excusa aussi pour son emportement.

Tout allait bien. Rien ne s'était passé.

Sauf qu'il s'était passé qu'entre continuer comme on avait commencé et tout annuler et faire ça à six, plus rien d'autre n'était possible. Que j'étais plus que jamais condamné au grand pied, sauf à paraître petit bras ou à m'avouer rincé.

Au moins Marie et Anne-Sophie, d'autant plus enjouées qu'elles voulaient tenir pour négligeable cet échange, eurent-elles l'intelligence de parler d'autre chose que du mariage. C'était toujours ça.

*

N'empêche, la scène n'avait pas plu à Marie.

– Il ne faudrait pas qu'il se la joue *yuppie*, me dit-elle plus tard, exprimant par là la crainte que son fils, fraîchement diplômé et junior dans une boîte d'audit, soit contaminé par les mœurs d'un milieu sniffant du bonus et se shootant à la prime.

C'était bien mon avis.

Je passai une partie de mes insomnies, au milieu des fleurs coupées décoratives, à peaufiner mon plan de demi-sel. Il faudrait bien acheter quelques bouteilles de vodka.

## 9

J'étais dans mon bureau, au journal. Le numéro du jour était bouclé et, avant de lire de la copie pour le lendemain, j'ouvris le mensuel que j'avais subtilisé au service Économie. « S'enrichir, c'est encore possible », titrait-il. D'où mon intérêt.

En pages intérieures, je sus vite à quoi m'en tenir. À rien. « Trouver le bon créneau high tech », me disait-on pour m'enrichir, à moi qui tapais sur mon clavier comme un gendarme et étais tout juste rodé à la procédure d'envoi des pièces jointes ! « Vendre une invention », « Déposer une marque », « Se franchiser », « Monter son affaire ». Ils me prenaient pour quelqu'un d'autre.

Le téléphone sonna.

C'était Jacques Walter, de la FNIFCD. Exubérant, l'homme me dit à quel point il était enchanté de la manière dont s'était déroulée notre première rencontre, que ses patrons étaient très intéressés, que je leur avais fait la meilleure impression…

Mais je sentis que le chargé de com' allait vite se changer en chargé de mission, mandaté par le président et le secrétaire général de la FNIFCD pour poser quelques questions subsidiaires.

De fait.

– Cela dit, poursuivit Walter, soudain moins à l'aise, nous nous disions, après votre départ... nous nous demandions, c'est un point dont nous n'avons pas vraiment parlé, quel serait précisément votre rôle à vous, enfin votre statut, ce que vous, vous attendez de nous, je veux dire, si vous envisagiez une rémunération ou bien... Pardonnez-nous, mais nous sommes totalement novices en ce domaine et, bon, nous nous demandions quel était votre intérêt à vous, vous comprenez, ce que vous envisagiez...

Le pauvre bougre n'en finissait pas de ne pas finir sa question. Entre sa volonté de ne pas être blessant à mon endroit et celle de pouvoir rapporter à ses patrons une réponse claire, il ricochait de subordonnées conjonctives en relatives. Je jugeai charitable de mettre fin à son supplice grammatical.

– Je vous arrête tout de suite, dis-je.

Je sentis que ce « tout de suite » lui avait paru interminable.

– Vous me demandez si je veux être payé. J'aurais dû vous le dire plus tôt : non ! Bien entendu, non. Simplement défrayé des quelques dépenses que je serai amené à engager pour réunir les membres du jury, soit deux ou trois fois un restaurant pour une dizaine de personnes, et, disons, autant de rencontres avec rafraîchissements. Et puis, naturellement, les frais de la réception pour la remise du prix. Je vous dis ça sans avoir rien chiffré précisément, mais ça ne devrait pas aller chercher bien loin. Et, dans tout ça, je le répète, rien pour moi-même.

– Mais..., avança l'autre.

– Mais quel est mon intérêt, c'est ça ? l'interrompis-je. L'intérêt de monter un prix littéraire, l'amusement de l'organiser, de le lancer, le plaisir de servir un livre, de récompenser un auteur.

– Oui, oui, je comprends, susurra-t-il.

– Vous savez, poursuivis-je, c'est du travail, mais je sais comment faire, je connais le milieu, les personnes à contacter. En somme, ça m'amuse, voilà ! Est-ce que cette réponse vous rassure ?

– Non pas que nous soyons inquiets, bredouilla l'autre, mais, comme je vous disais, nous sommes novices, on se pose des questions.

– Mais c'est bien naturel, dis-je.

– Et pour le montant du prix lui-même, vous diriez quoi ?

– Alors là, vous savez, c'est une question de positionnement, presque de marketing. Grosso modo, tous prix littéraires confondus, les récompenses vont de 0 à 75 000 euros. Le prix Cino del Duca, modérément connu, rapporte ça à son lauréat, 75 000 euros (près de 500 000 francs, avais-je calculé). C'est le mieux doté. Le Goncourt, lui, rapporte surtout par les ventes mêmes du livre couronné – jusqu'à plusieurs centaines de milliers d'exemplaires. Mais disons que la dotation de la plupart des prix est inférieure à 15 000 euros. C'est pourquoi, je vous l'ai dit l'autre jour, si l'on veut d'emblée positionner notre prix dans le haut de gamme, je suggère que la barre ne soit pas inférieure à 15 000 euros. Disons entre 15 et 20 000. Plus, si vous voulez faire forte impression. Qu'en pensez-vous ?

Je sentis mon Walter cogiter à toute allure. Surtout ne pas trop s'avancer sans savoir ce que serait la réaction du président.

– C'est une somme intéressante, dit-il prudemment.

– Certes, dis-je.

– C'est un prix d'accès non négligeable, poursuivit-il un peu plus audacieusement.

– J'en conviens, mais, ajoutai-je pour lui remettre les idées en place, il représente une nanoseconde d'un spot de pub à la télé, et encore, non compris la production du spot.

L'argument l'impressionna. Il saurait le resservir à qui de droit. Et, sur ce, nous nous séparâmes.

J'estimais à soixante-dix pour cent mes chances d'aboutir.

J'espérais juste être vite fixé. Histoire d'avoir le temps de me retourner, si besoin était. Il devait bien y avoir une sous-fédération quelconque de l'hôtellerie de plage qu'un prix « Sur la plage, le pavé » devrait bien intéresser, à moins qu'une fédération de la viande bovine s'entiche d'un futur « prix du Grand Pavé » (le prix Chateaubriand existant déjà).

Des prix, il y en avait en veux-tu en voilà. Je ne l'avais pas dit à mes interlocuteurs, manière de ne pas dévaloriser leur entrée sur ce marché, mais la France était la plus grande productrice au monde de fromages et de prix littéraires, les seconds écrasant de loin les premiers. Internet, sur le site http://www.republique-des-lettres.com/topique/prix.shtml, m'avait fourni le chiffre de 1 150, sans compter les distinctions de concours littéraires divers, auquel cas on parvenait au chiffre de 1 850. Ça paraissait beaucoup, comme ça, mais ce n'était pas encore assez. Les éditeurs et les auteurs raffolaient des prix. L'idéal serait presque qu'il y ait autant de prix à donner que de titres publiés. La béatitude. On en était loin. La seule rentrée de septembre accouchait chaque année de quelque six cents nouveaux romans : allez faire plaisir à tout le monde !

Ce n'était pas faute de s'y être essayé. Tout ou presque pouvait tomber sous le coup d'un prix : prix du roman policier, prix du roman populiste, prix du roman populaire, prix du premier roman, prix du deuxième roman, prix du troisième, prix de l'avant-dernier, prix du jeune écrivain, prix du jeune écrivain francophone, prix de l'écrivain plus tout jeune qui n'a jamais eu de prix, etc.

On en était là. Sauf que seuls comptaient vraiment les plus renommés ou les mieux lotis. Et que la personnalité des membres du jury importait souvent plus, pour la notoriété d'un prix, que la qualité de l'œuvre couronnée.

Ça, recruter un jury, c'était mon job.

*

Téléphone.

C'était Marie.

Elle me rapporta sa conversation avec Fabienne. « Figure-toi qu'Anne-Sophie a fait tout un plat à sa mère. Les modèles de faire-part ne lui conviennent pas, paraît-il. Pourtant, tu sais d'où ils viennent, pas précisément du "Faites vos cartes en deux minutes" du Monoprix du coin. Elle les trouve trop... pas assez... elle voudrait du raphia, peut-être, pour agrémenter la chose. Et puis, une petite estampe originale que lui confectionnerait l'un de ses amis, elle y tient absolument. Je ne te dis pas l'humeur de Fabienne. Sauf qu'au fond, elle aimerait bien satisfaire sa fille. Tu vois, elle était à la fois en colère et complaisante, et tu as deviné qu'en me racontant tout ça, elle testait ma réaction. »

J'émis une sorte de ricanement.

– Qu'est-ce que t'en dis ? acheva Marie.

– Qu'est-ce que j'en dis ? Mais je dis que oui, qu'il soit fait selon sa volonté, à la jeune Anne-Sophie, au point où on en est, qu'elle grave son truc en lettres d'or, qu'elle l'orne d'une lithographie originale, et qu'elle y joigne un bifton de 50 euros, si elle le désire ! Allons-y gaiement...

Je sentis Marie désemparée. Au fond, c'était la première fois que je manifestais quelque humeur et évoquais le coût de cette plaisanterie.

– Vincent, dit-elle d'un ton soudain grave, tu penses qu'on va trop loin ?

– Bonne question, fis-je sèchement.

Et puis, fanfaron, rigolard, désinvolte, aventureux, tout ce que je ne suis pas, en somme, j'ajoutai :

– T'inquiète pas. Tout est sous contrôle, mon chat.

*

Tu parles ! Sauf que là, à ce moment-là – était-ce ma conversation, pourtant non conclusive, avec Jacques Walter ? – j'étais enclin à me prendre au jeu, cette sorte de « chiche » qui fouette les sangs. Là, à cet instant, je me dis que ça pouvait être drôle.

Oui, recruter le jury. Mais j'allais faire mieux : lui faciliter le travail en pressentant fortement un lauréat. Un art tout d'exécution. Tout était là, pourtant.

À peine acquis le feu vert de la FNIFCD, je rencontrerais Laurent Truchoy. Mon ami Laurent Truchoy, oui, l'auteur que tout le monde connaît.

## 10

Déjeuner avec Jean-Philippe R. Je l'aime bien. Responsable d'un hebdomadaire people, il assume, avec un cynisme indulgent, la face noire du métier. Comment l'on monte de toutes pièces une actualité bidon autour d'une vedette. Le prix du contrat. Le pourcentage de l'agence photo qui a l'exclusivité de ladite star. L'accord passé avec la chaîne de télé qui la diffuse. Les faux scandales qui sont de vraies machinations.

– Tiens, tu te souviens de cette émission de téléréalité où l'on découvre, à la veille de sa diffusion, que son héros a un passé chargé, comme on dit.

– Oui, dis-je. Même que la chaîne était drôlement emmerdée. Je me souviens de son communiqué embarrassé où elle invoquait le pardon des offenses, la deuxième chance, la réinsertion du pécheur, ou quelque chose de ce genre, pour ne pas renoncer à sa série.

– Tu parles...

– Quoi, tu parles ?

– Tout faux ! Évidemment qu'on savait tout du bonhomme depuis le début. Le responsable du casting, la boîte de production, la chaîne, tout le monde savait. L'embarras, mon œil ! Seul le calcul était vrai.

– Le calcul ?

– Organiser du scandale. Le préméditer, le faire révéler, et l'affaire est dans le sac. Dis-moi, quel est le journal qui n'en a pas parlé ? Aucun. Le tien comme les autres. Les présumés sérieux comme les autres. Tous ont débité la fable de la bévue ou du bug. Beaucoup – quelle audace ! – en ont profité pour dauber sur cette grande chaîne qui s'était fait avoir comme une petite. Tout le monde a rapporté son « embarras ». Si tu connais un meilleur plan de com', dis-le-moi. L'émission a envahi les rubriques « Faits divers » ou « Vie des médias ». Génial ! Du soufre, comme promo. Bingo !

Des histoires comme celle-là, Jean-Philippe en avait mille à me raconter. Les prix, les dessous, les arrangements, les négociations, l'achat de « une »... Celle-ci, récemment publiée, qu'avait négocié 106 714 euros (« Admire la précision ») la future jeune épousée d'une vieille star du cinéma. Une autre – 120 000 euros – pour les premières photos d'une naissance. Tout un univers frelaté et qui le restait jusqu'au résultat final : des photos soi-disant nature, des propos faussement spontanés.

Sans parler de ces fadaises rabâchées au fil des interviews où X. disait son immense plaisir d'avoir tourné avec Y. qui, toute immense vedette qu'elle fût, avait fait preuve d'une simplicité à peine croyable. Un petit couplet sur son « âme d'enfant » à laquelle on tenait par-dessus tout était bienvenu : cette régression était un signe indiscutable d'humanité, et de fraîcheur, et d'innocence.

Suivait un passage obligé sur la famille (amis, petit(e) ami(e), enfants) pour dire très vite que c'était privé, un jardin privé au même titre que la lecture de Nietzsche ou de Jacques Salomé, ou l'engagement dans une cause humanitaire au Burkina Faso.

Jean-Philippe riait encore de la manière dont la star éphémère avait arraché la couverture d'un hebdo (pas le sien) contre promesse de ne pas lui intenter un procès qu'un précédent article rendait envisageable.

Le monde est laid, n'est-ce pas ? Et j'avais beau ne pas l'ignorer complètement, je m'étonnais tout de même d'apprendre la nature réelle d'un artiste que je connaissais pourtant, les médiocres chantages d'une autre que j'appréciais plutôt.

Mon journal, il est vrai, n'était pas un enjeu stratégique dans cette lutte pour les manchettes, ce qui le mettait – et moi avec – à l'abri de la plupart de ces *deals*. À nous on pouvait se présenter sous son meilleur jour : l'art, le message, tout ce qui est noble et beau. À peine voyions-nous le petit côté des choses quand un agent insistait pour qu'on ne publie pas une photo sans qu'elle eût été choisie ou avalisée par la star.

Entre nous, je comprenais cette exigence. Les lèvres collagénées supportent mal certains angles de vue, les nez fraîchement retroussés, pareil, tandis que les liftings mal ou trop éclairés vous bousillent une réputation en même temps que celle de votre chirurgien esthétique.

– Bon, maintenant, tu veux que je te parle du mariage qui va faire la une de tous les magazines ? enchaîna Jean-Philippe.

J'étais là pour ça.

Il me raconta donc. Les contrats d'avocat. Le journal qui a décroché la première exclusivité. Les festivités que les agents des deux promis s'emploient à faire sponsoriser – traiteur, maison de champagne, hôtel, boîte de nuit, tous assurés d'être sur la photo ou mentionnés dans les légendes.

– Et tout ça pour de faux ! s'esclaffa Jean-Philippe. Il ne s'agit que de relancer deux carrières flageolantes. T'inquiète : un disque ou un film suivront... Et un divorce, bien sûr, pour le suivi marketing.

– Eh bien, moi aussi, j'ai un mariage sur les bras ! dis-je. Pour de vrai, lui. Mais pas sponsorisé, c'est tout le problème.

Il rit :

– Tu sais ce que l'on dit ? Qu'autrefois c'étaient les parents qui mariaient leurs enfants ; qu'aujourd'hui, ce sont les enfants qui invitent leurs parents à leur mariage, mais que ce sont toujours les mêmes qui paient.

Il compatit au récit de mes malheurs. Fut horrifié du montant de mes déficits prévisionnels.

– C'est une bonne atteinte à la vie privée devant la 17e ! lâcha-t-il en connaisseur.

Il voulait dire que c'était l'équivalent de ce que touchait devant la justice, en l'occurrence la 17e chambre correctionnelle spécialisée dans les affaires de presse, un « people » photographié à son insu en situation apparemment compromettante. Le prix d'un mariage avec château !

Jean-Philippe avait, sur cet argent de poche judiciaire des célébrités, quelques histoires à me raconter.

Je réclamai au serveur un autre verre de vin.

## 11

Moi aussi, j'avais emmailloté les bouteilles. Trois. Elles reposaient chacune dans leur seau à glace.

– Vincent, vous n'auriez pas dû, me gronda gentiment Fabienne.

– Comment ça ? C'est bien ce que j'avais dit, non ?

– Absolument, rit Simon. Et personne ne se plaindra de les goûter, même si c'est pour rire. Vous savez que j'ai passé commande, par la banque. L'affaire est dans le sac.

Je débouchai la première bouteille dans l'ordre que m'avait indiqué le caviste. Nous trinquâmes tous quatre. Le champagne était éblouissant. Chacun s'en rendit compte, le dit et redit. On me questionna et, bien entendu, je n'offris en réponse qu'un sourire énigmatique.

– Une dégustation à l'aveugle, c'est une dégustation à l'aveugle, dis-je simplement, pas mécontent de la forte impression que faisait mon breuvage.

Ce fut Fabienne qui formula ce que j'attendais.

– Difficile d'être catégorique à tant de jours de distance, mais je crois bien que ce champagne l'emporte largement sur le tien.

Elle se tourna vers Simon et poursuivit :

– Pour tout dire, j'en ai rarement bu d'aussi bon.

L'espace d'une seconde, Simon parut crucifié. C'est ce qu'il me sembla, comme il m'avait semblé avoir lu, d'autres fois, du défi ou de la rivalité dans son regard. Pour la première fois, peut-être, il n'était pas à son avantage.

J'avais un peu réfléchi, dans le 88. Et réalisé qu'au fond je m'étais d'emblée senti en état d'infériorité par rapport à Simon. Allez savoir pourquoi. Son métier ne m'impressionnait pas et, sur le plan de la popularité, un banquier n'était pas beaucoup mieux considéré qu'un journaliste. Ses relations étaient peut-être plus rupines que les miennes, mais les miennes étaient plus connues, et plus drôles. Mais l'ascendant, c'est tout autre chose. Une affaire de mammifère, d'odeur, peut-être, ou de posture. Peut-être que Simon se tenait plus droit que moi sur ses deux membres postérieurs, peut-être que son torse était plus bombé. Peut-être que ses glandes étaient plus actives, ses phéromones plus riches. Ou était-ce son eau de toilette qui marquait sa présence et faisait de tout lieu où il se trouvait, même chez moi, son territoire ? Les bêtes pissent bien pour marquer le leur. Peut-être que Simon pissait beaucoup et partout.

Mon eau bénite, pour terrasser la bête qui sommeillait en Simon, ç'allait être le champagne. Mais quel champagne ! L'exorcisme m'avait coûté cher. Avec mes trois bouteilles, le type avait dû faire son chiffre de toute une journée. Je m'en foutais. Reconquérir un ascendant par la face nord valait bien ça. Elle n'avait pas de prix, cette nanoseconde où son champagne avait été détrôné par le mien. Et par sa femme, de surcroît !

– Il est en effet absolument remarquable, dit-il, beau joueur, en en rajoutant pour reprendre la main.

– J'ose dire que vous n'avez encore rien vu, fis-je placidement. Prenez donc un petit-four avant de goûter celui-ci.

J'ouvris la deuxième bouteille.

Quand il découvrit plus tard les étiquettes – Pol Roger cuvée sir Winston Churchill en un, cuvée Grand Siècle Laurent Perrier 1990 en deux, R. D. de Bollinger 1988 en trois –, Simon me regarda comme si j'étais insensé ou suicidaire. J'étais donc capable de tout ? Flamber pour trois bouteilles, et quoi d'autre encore ? À ce moment-là, je crois que je l'ai intrigué, inquiété aussi. J'avais pissé très fort (j'étais le seul, après tout, à savoir que je m'étais dégonflé devant le Bollinger cuvée vieilles vignes françaises 1996 à plus de 500 euros).

– R. D., ça veut dire quoi ? me demanda-t-il juste. R. D., là, sur le champagne Bollinger ?

– Récemment dégorgé, répondis-je, tout récemment initié.

– Je n'en avais jamais bu. Merci de ce très beau cadeau, me dit-il en mettant sa main sur mon épaule.

J'en sursautai presque.

Il était simple et chaleureux. Mais avait-il jamais été autre chose ? Et si je m'étais fait tout un cinéma ? Pourquoi avait-il fallu que je le soupçonne ?

Ce soir-là, pourtant, je lui serrai la main avec une fermeté qui me parut nouvelle.

## 12

Laurent Truchoy avait deux avantages dans la vie : être continûment en admiration de lui-même, et riche. Il connaissait la terre entière, et moi avec. Ça tombait bien, car je ne connaissais personne d'autre que lui susceptible de marcher dans ma petite entreprise.

Pour une fois, je ne l'invitai pas dans le restaurant qui était sa cantine. Non parce que celui-ci était très cher (j'étais sur note de frais), pas non plus parce que sa cuisine était médiocre et son service désagréable, mais pour la raison même qui en faisait son lieu favori : l'endroit regorgeait d'auteurs et d'éditeurs. Les uns et les autres voletaient de table en table : un baiser, une tape, un mot, une apostrophe, des « ma chérie », des « cher ami ». Comme des fourmis sur leurs lieux de bombance, ils échangeaient leurs messages chimiques de reconnaissance. Ils étaient bien, là, tous compatibles, tous édités ou éditeurs, malgré les vacheries par-derrière, les grandes haines ou les petits mépris, les affaires d'à-valoir, de transfert et de prix.

J'en étais, évidemment. Un journaliste qui n'est pas éditeur, même s'il n'est pas édité (ce qui est rare), est toujours de tout. Préposé, partout, à souffler dans toutes les trompettes de la renommée. Partie prenante, forcément, aux coteries, aversions, enthousiasmes de cette petite tribu qui pense et se regarde tenir le haut du pavé.

Surtout pas là ! Sortir, pour une fois, du carré d'or éditorial. Prendre des risques. Fuir Saint-Germain. Aller dans le IX^e^, par exemple. J'y connaissais un très bon restaurant de quartier. Laurent Truchoy en fut intrigué. Émoustillé, aussi. Car l'homme ne détestait pas la fantaisie ; une touche d'excentricité, jugeait-il, lui allait bien au teint. S'encanailler de cochonnailles dans un bouchon ajoutait, lui semblait-il, à son pedigree. Il aurait à raconter des choses qui surprendraient ceux qui l'imaginaient guindé.

Il avait beaucoup de charme, Truchoy. Il ne s'assit pas en face de moi sans le tester alentour. Oui, on le reconnut. La contrée n'était pas si sauvage, ni sa notoriété en perdition.

Sauf que, depuis le temps qu'il écrivait des livres, il faisait un peu trop partie du paysage. À chacun de ses opus on ne manquait jamais de l'inviter à une tournée audiovisuelle des grands-ducs. Normal : sa belle tête bronzée, burinée, ses yeux clairs, son charme, la distance ironique qu'il mettait à dépeindre ses contemporains, lui en premier lieu, car il avait depuis longtemps compris que se confesser un peu, se dénigrer modérément, se moquer habilement de soi vous fait passer pour un haut esprit, tout cela, donc, faisait merveille à l'écran. Les radios, les journaux suivaient. Qu'importait que tous ses derniers livres se ressemblassent, chacun plagiant le précédent ! Le dernier Truchoy, comme les autres, apparaissait dans les listes des meilleures ventes. Cadeau parfait pour Noël, fêtes et anniversaires, et toute autre circonstance où l'on ne saurait vraiment pas quoi offrir d'autre. La routine, en somme. Enviable et un brin ennuyeuse. On n'arrêtait pas de parler de Truchoy, ce bon client médiatique, mais il ne faisait plus parler.

En tant qu'écrivain, en tout cas. Car l'homme, le dandy, le libertin alimentait toujours les conversations des cercles initiés. D'une certaine manière, c'était un personnage d'une autre époque. Voilà une quarantaine d'années, il s'était marié, tout jeune, avec une timide provinciale qui avait été éblouie par l'aplomb, l'aisance et les manières de ce Rastignac des lettres. Bonne pioche ! Son premier livre avait fait événement et reçu le prix des Critiques. Adoubé du premier coup ! Il ne fit plus que ça, dès lors : écrire. Voyager, se baguenauder et écrire.

Car on a oublié de dire que sa jeune épouse n'était pas seulement provinciale, timide et éblouie, mais aussi riche et unique descendante d'une noble famille. Il courut donc le monde, le joli monde, de préférence, et les belles créatures qui le peuplent pour mieux inspirer sa plume dans une démarche naturaliste que Zola n'eût pas désavouée. À cela près que ce dernier couchait sur le papier d'interminables notes préparatoires quand lui, il allongeait sur le satin ses muses de circonstance.

Pareille vie nourrit vite les légendes. Truchoy en était une, en même temps qu'il ne manquait pas d'influence dans les réseaux qui accouchent, accueillent, certifient la littérature. Tout cela en aurait satisfait plus d'un. Truchoy, pas tout à fait assez. On a dit qu'il était plein de contentement de soi. Ce n'était pas chez lui une simple béatitude, mais une drogue dont l'addiction consistait à attendre des autres qu'ils fussent au diapason. Et quand on dit « contentement », ce petit mot médiocre, on était bien en deçà de ce qu'il pensait, de la vie qu'il se jouait, du talent qu'il se prêtait, de l'importance qu'il se donnait.

C'est là que j'intervenais. Pour lui redonner littérairement du lustre. Pour sortir son dernier livre d'un ronron d'éloges répétitifs, l'arracher au rendez-vous rituel, en faire un événement.

Je ne lui dis rien de tel. Je lui parlai juste de ce nouveau prix littéraire, le prix Marguerite, dont je m'occupais. La FNIFCD m'avait avisé, en même temps que de son accord, du nom finalement choisi. L'œillet aurait bien mérité lui aussi un coup de main, souffrant d'on ne savait trop quelle défaveur qui le reléguait loin derrière les roses et les tulipes. Mais la marguerite l'avait emporté. Prix Marguerite, ça sonnait bien. C'était un prénom qui pouvait évoquer des noms (Yourcenar, Duras...). Ça faisait chic.

J'expliquai à Laurent Truchoy, en toute confidentialité – je nierais avoir eu jamais ce type de conversation avec lui –, pourquoi son livre me paraissait idéal pour inaugurer ce nouveau panthéon littéraire. Le prix Marguerite, de fait, devait récompenser une littérature de la qualité française, entendez par là – c'est moi qui avais défini ce cahier des charges, en plein accord avec la FNIFCD, légitimement sourcilleuse sur la réputation des marguerites, ces « perles » latines – les bonnes manières et le raffinement.

Pas de ces livres pleins de gros mots où des nique-ta-mère sexent grave dans des caves chelous de banlieue. Pas de ces autofictions, introspections, exhibitions dont le coït en série (comme le tueur du même nom), le cunnilingus et l'orgasme sont les seuls héros. Bonnes manières et raffinement : une nouveauté presque. Et précisément le créneau de Laurent Truchoy. Le Truchoy, ça n'était pas du Catherine Millet. Truchoy conchiait les truismes de Marie Darrieussecq, et au baise-moi de Virginie Despentes préférait les baisemains de la haute.

Truchoy m'écoutait, mangeait son andouillette et buvait du petit-lait.

Même mon codicille ne le fâcha pas.

## 13

Quand ils passèrent, ce samedi après-midi-là, à la maison, Benoît et Anne-Sophie furent surpris de m'y trouver seul.

– Maman n'est pas là ? Elle a un Dostoïevski sur le feu ?

Quand elle travaillait sur un manuscrit, Marie aimait à s'isoler dans une bibliothèque, le plus souvent au centre Pouchkine.

Non, il n'y avait pas le moindre Dostoïevski sur le feu. Marie participait à un colloque sur un sujet qui lui tenait à cœur jusqu'au militantisme : la création, aux abords des villes, de ce qu'on appelait autrefois des jardins ouvriers, et aujourd'hui – preuve que la classe ouvrière n'avait plus la cote – des jardins familiaux. C'était son truc, ces petits lopins de terre. Elle en était devenue la spécialiste et s'efforçait de coaliser des associations locales pour faire monter en puissance, auprès des élus, cette idée trop simple pour être entendue.

À l'en croire, pourtant, nombre de problèmes seraient résolus. Ou du moins minorés, car Marie n'était pas utopiste.

Il faut imaginer, disait-elle, les retraités qui s'ennuient, les petites gens qui tournent en rond dans leurs HLM, les chômeurs. Qu'on leur concède (ou loue ?) une parcelle de terrain, et tout serait changé : leur mode de vie, leur dignité, leur utilité familiale, leur état d'esprit. Cultiver un jardin, c'était faire pousser des plantes, des légumes, des fruits, des salades, mais pas seulement ! s'enflammait Marie. C'était mettre un tuteur à des vies difficiles. Tout le monde pouvait comprendre le bienfait économique, social, humain à en tirer.

Justement pas. Les élus répondaient budget, emprise foncière, urbanisme, POS, SMUR, SDAU, tous ces sigles qui sont la manière contemporaine de dire ZUT. Pour un tramway, ils n'avaient pas peur d'éventrer une ville pendant des années ; pour une autoroute, d'exproprier sur des centaines de kilomètres. Mais offrir cinquante mètres carrés à des gens simples ou paumés, ça, c'était au-dessus de la force publique !

Inlassablement, Marie allait dire leur fait à toutes les instances possibles.

– Sacrée maman, commenta Benoît.

Lui et Anne-Sophie avaient un autre chantier. J'appris ce jour-là qu'ils avaient acheté un logiciel spécialisé dans le mariage. Figurez-vous que ça existe : une sorte de vade-mecum, de pense-bête, de calendrier, d'agenda prévisionnel, tout ça pour ne rien oublier, penser à tout à temps. C'était formidable, semblait-il. Ils s'émerveillaient du confort qu'ils y puisaient. Il suffisait d'obéir : génial !

Et, d'ailleurs, prescrivait le logiciel, il était temps de réserver dare-dare un traiteur. Une denrée rare. Je ne sais s'ils tiraient leur science du logiciel, mais ils m'expliquèrent que les gens se mariant à quatre-vingt-dix pour cent le samedi, il n'y en avait donc que cinquante-deux dans l'année, mais les mariages ayant lieu à quatre-vingt pour cent dans les mois agréables – disons à partir de mai jusqu'en septembre –, dont il fallait exclure les trois premières semaines d'août si l'on prétendait réunir plus de dix personnes –, il restait quoi ? Une vingtaine de samedis utiles en comptant large, ce qui était peu pour quatre-vingt pour cent des trois cent mille mariages annuels, soit – ils calculaient de tête – quatre-vingt pour cent de trois cent mille divisé par vingt, quelque chose comme douze mille mariages par samedi utile. Ça foutait la trouille. Il fallait au plus vite retenir un traiteur, aussi rare, vu comme ça, qu'un plombier le 15 août.

Ils commençaient, pour tout dire, à me bassiner avec leur pressing statistique. Ils n'en restèrent pourtant pas là. Ils embrayèrent sur le nombre d'invités, corollaire du problème traiteur, car il fallait bien préciser à celui-ci ce qu'on attendait de lui.

Je dis qu'en effet il fallait y penser, que j'en parlerais avec Marie, puis avec Fabienne et Simon. En pitbulls du petit-four, ils ne me lâchèrent pas : il faudrait déjà savoir, avoir fait des listes.

J'aurais aimé être avec Marie : le langage des POS, SMUR, SDAU me paraissait soudain poétique, et tellement tonique et vivante la fougue de ma femme !

Eux en avaient fait, des listes. Celles de leurs amis, communs et respectifs, sans lesquels ils ne pouvaient se bien marier.

Je n'eus pas le courage de leur demander à combien se chiffraient leurs troupes, ni le cœur à les inciter à quelque modération.

Cela dit, leur injonction me donna un coup de flip. Le montage, pièce après pièce, de ma petite affaire littéraro-florale m'absorbait tant et si bien que j'en avais presque oublié le motif. Les invités, l'addition, le traiteur, la note, le château, les dettes, et Balzac qui me laissait en plan ! Et, face à ça, une petite idée, juste une petite idée, une trop petite idée pour être à la hauteur de la situation. L'opération Marguerite, c'était bien joli, mais ça ne me dispensait nullement de trouver deux ou trois autres manigances du même genre. Peut-être devrais-je prendre plus souvent le 88. Pour l'heure, en tout cas, elle m'obstruait l'horizon. Ça prend du temps de monter un prix littéraire.

*

Moins, tout de même, que ne le croyaient les dirigeants de la FNIFCD. Eux, depuis que leurs instances avaient donné le feu vert, n'en pouvaient plus. Ils me recevaient comme un roi. Je tenais dans mes mains le sort du prix Marguerite, leur sort, le sort de la fleur coupée décorative, pas seulement la marguerite, mais aussi bien la rose, l'œillet, le glaïeul, la tulipe, la pivoine, le lys, le freesia, le chrysanthème, l'iris, l'anémone, le pois de senteur, ce qui faisait, on en conviendra, une lourde responsabilité. Ils m'interrogeaient, piaffaient, s'exclamaient quand je leur lançais à la volée le nom de tel ou tel auteur que l'on pourrait pressentir comme juré.

Je ne leur disais pas la vérité : il n'est rien de plus facile que de constituer un jury littéraire. Appartenir à un jury, c'est même ce que préfère un auteur, juste après recevoir lui-même un prix. Être sollicité pour juger ses pairs lui confère une reconnaissance, un rang qui lisse ses plumes. Il faut avoir soi-même la Légion d'honneur pour l'épingler au revers d'un nouveau promu : c'était tout comme.

Quelques appâts ne sont pas inutiles, sans doute. On a vu des prix sans importance ni avenir ne manquer d'aucun parrain littéraire dès lors que leur délibération devait avoir lieu sur la terrasse d'un palace de quelque île exotique à la saison où la France grelotte. Une poignée de jours au soleil réunionnais, marocain ou caribéen affûte assurément l'appréciation stylistique de nos jurés cachetonneurs, en même temps qu'elle leur hâle le teint et l'ego. Je n'avais rien de tel, pour ma part, à faire miroiter. Mais quelques déjeuners fins et l'assurance de papiers dans les journaux – j'y veillerais – suffiraient largement. L'essentiel restant d'être membre d'un jury. De se retrouver, de se jalouser, de pavoiser, de compter.

Je ne leur dis pas, à mes commanditaires de la FNIFCD, le ridicule de ces écrivains et critiques rebelles qui, un jour, pour protester contre le ringardisme, la connivence, la concussion, le conservatisme, la compromission de jurys inamovibles aux membres cooptés à vie, c'est-à-dire jusqu'à ce que mort s'ensuive, ces rebelles, donc, qui lancèrent l'idée révolutionnaire d'un jury tournant, créèrent un prix à cette fin et s'en firent les jurés éphémères : l'année suivante, ils rempilèrent, inventant l'éphémère durable et montrant par là, sans doute, que leur goût de l'oxymore n'était pas seulement affaire de style.

Je ne leur dis pas. Mes commanditaires de la FNIFCD croyaient que ce monde avait des manières.

## 14

Ce matin-là, à la conférence de rédaction, on me demanda si j'avais lu cette histoire bien intéressante d'un SDF inconnu qui se révélait être un grand peintre, émoustillant soudain le monde de l'art. Évidemment, je l'avais lue… dans *Le Figaro* du jour. C'était bien là le problème : on testait moins ma lecture du *Figaro* qu'on ne m'interrogeait par la bande sur le pourquoi et le comment cette « *good human story* » m'avait échappé. Qu'est-ce que j'en savais ! Un galeriste l'avait racontée à quelqu'un qui n'était pas moi, c'est tout.

Ce type avait tout pour exciter les fantasmes. Il était noir, ne se connaissait qu'un prénom, ignorait son pays d'origine, ignorait son passé, ignorait pourquoi il parlait anglais, ignorait comment il s'était retrouvé sur le pavé de Paris. Il s'y saoulait consciencieusement, peignait sur des bouts de carton que, d'ailleurs, on lui volait régulièrement sans qu'il s'en émût, jusqu'au jour où un amateur éclairé était tombé en arrêt devant sa production, l'avait achetée, en avait parlé, avait entraîné dans le coup un galeriste et tambouriné. Début d'une légende.

Le type avait tout pour plaire. Il était même physiquement très mal en point, ce qui était fâcheux pour lui et son œuvre, mais prometteur pour sa cote. La rareté la fit flamber. On le comparait à Basquiat, noir américain, enfant de la rue, génie proclamé du primitivisme, mort à vingt-huit ans d'une overdose. Sa cote doublait tous les trois mois.

Le type était un autre Basquiat, à cela près qu'il n'était pas mort. Pas encore.

– Tout ça vaut dix FIAC, lâcha un bon confrère autour de la table.

La FIAC, le Salon de l'art contemporain de Paris, sur quoi j'avais justement fait deux pages… C'était ma fête.

Je m'efforçai de répondre placidement, disant que j'allais mettre quelqu'un sur ce type pour essayer d'en savoir plus long sur lui, son mystère. Je n'y croyais pas beaucoup. Son mystère c'était sa légende, sa légende était son prix, son prix, la fortune de ses découvreurs. Qui pouvait avoir intérêt à démythifier tout ça ?

On passa à autre chose. Pas moi. Je bouillais, en fait, de n'avoir pas été dans le coup. Depuis la lecture du papier, je ne pensais qu'à ça. Comme c'était parti, un seul carton de ce type m'aurait financé mon mariage, et peut-être bien mon terrain à asperges. Une affaire telle qu'il ne s'en présente pas souvent. L'art contemporain, ce peut être ça : de la fabrication de monnaie. L'art de transformer un châssis, une toile et de la peinture dessus (encore que pas de peinture pouvait aussi bien faire l'affaire) en trésor. Il y fallait un tour de main, une mayonnaise qui prend, des marchands qui marchent, un tressaillement des collectionneurs, que les spéculateurs transforment en engouement, et vogue la galère, un galion rempli d'or !

Celui-là me passait sous le nez.

*

Même mon déjeuner avec Jean-Philippe ne me dérida pas complètement. Sa moisson d'histoires me rendit même plus hargneux que je ne l'étais. Il s'agissait cette fois d'une vedette de la télé qui venait de faire lourdement condamner deux magazines, dont le sien, coupables d'avoir publié sa photo en galante compagnie – enfin, pas avec son mari. Parce qu'avec son mari, quelques mois auparavant, c'est elle qui avait négocié directement le montant du reportage intime.

Jean-Philippe, probablement déçu de ma réaction bougonne, relança la partie :

– Et tu sais quoi ?

– Non. Quoi ?

– Eh bien, son avocat a pris contact avec moi.

– Ah.

– Il avait un marché à me proposer. Nous avions été condamnés à payer des dommages et intérêts à sa cliente : 9 000 euros, si tu veux tout savoir. Mais aussi à publier la condamnation judiciaire en une du journal. Cette belle âme, attachée au seul respect de sa vie privée, voulait bien, par pure gentillesse, nous dispenser de cette fâcheuse obligation.

– Sympa, lâchai-je mollement.

– Oui, moyennant une compensation supplémentaire. J'ai accepté, bien sûr. C'est pas terrible, une publication judiciaire sur une couverture.

Rien n'altérait la bonne humeur de Jean-Philippe. Chaque vilenie de la nature humaine semblait au contraire le réjouir : ainsi recevait-il chaque jour la preuve qu'il ne s'était pas trompé et qu'il valait mieux faire avec – affaire d'hygiène. L'indignation, c'est mauvais pour le ventre qui se noue, c'est mauvais pour les glandes qui se mettent à sécréter comme des bêtes, c'est mauvais pour le cœur qui se rebiffe.

Jean-Philippe s'en gardait bien, de l'indignation. Beaucoup mieux que moi, de fait. Faut dire que moi, je ne détestais pas. Je pensais que ça gardait vivant, que c'en était même un signe. Et puis, en vérité, je ne pouvais m'en passer. Il allait falloir que j'apprenne. Parce qu'enfin il ne fallait pas me mentir : ce que j'étais en train de faire n'était pas particulièrement reluisant. S'indigner deviendrait plus difficile.

*

Elle arriva au dessert, provoquant sur son passage œillades et commentaires. Jean-Philippe m'avait averti, bien sûr, que passerait pour le café cette « jeune actrice qui monte ». Il me présenta à elle – « Vincent » – et elle à moi – « Cécile ». Je dois avouer que mon humeur en fut changée. Elle était craquante, Cécile Tonelli, beaucoup plus encore que ses photos ne le donnaient à penser. Je n'étais pas allé – pas encore – voir son film, mais le journal en avait dit du bien, et d'elle du très bien.

– C'était une faute professionnelle, pour moi, de ne pas vous connaître, lui dis-je en mauvais dialoguiste d'un mauvais scénario.

Elle eut la gentillesse de pouffer.

– Vous n'y êtes pour rien. Ma stratégie, c'est d'abord de séduire les journalistes sans scrupule, n'est-ce pas, Jean-Philippe ? Il n'y a pas mieux pour se forger une réputation. Une rumeur, fausse de préférence, une indiscrétion, un ragot, ça vaut plein d'articles ennuyeux, non ?

– Bref, je ne suis pas votre homme, si je comprends bien.

– Sans rancune ! dit-elle en me tendant la main comme on conclut un pacte.

Craquante.

Nature.

Pas froid aux yeux.

J'aimais bien.

## 15

La semaine de congé que je pris sur mes terres, je la consacrai à lire une petite dizaine de bouquins. Ce n'était pas le tout d'organiser un prix littéraire, ni de décider seul du lauréat, ni de s'entendre avec lui dans le plus grand secret, encore fallait-il regarder de près les autres livres censés concourir, ne serait-ce que pour avoir du répondant s'il s'avérait qu'un juré s'avise de défendre l'un d'eux.

L'avant-veille au soir, j'avais réuni le jury pour la première fois. Trouver une date qui convienne à tous avait été beaucoup plus difficile que de le constituer. Sur la dizaine de noms que j'avais eus en tête, seuls deux durent – mais avec quels regrets ! – décliner mon offre. L'un, pas tout jeune il est vrai, traversait une mauvaise passe et ne bougeait plus de sa campagne. L'autre me laissa entendre avec coquetterie qu'une grande tournée à l'étranger l'empêcherait, hélas, d'en être.

Bref, il en restait six, mais du meilleur choix : journaliste à émission culturelle, animateur à prétention, pigiste à casquettes multiples – tous auteurs de plus ou moins quelque chose. Une petite troupe qui dirait ou écrirait, partout où il le faudrait, le bien-fondé de leur choix final avec force injonctions raffinées du genre : « À lire absolument » ou « À lire d'urgence ». L'urgence se faisait beaucoup, dans la critique littéraire. Tout était urgent : urgent, le besoin qu'avait eu l'écrivain d'écrire ; urgente, la lecture que devait en faire le lecteur. Comme si ledit bouquin avait une date de péremption, une durée limite de consommation au-delà de laquelle sa lecture se ferait indigeste, voire toxique, comme les conserves.

Les critiques, soyons justes, n'étaient pas les seuls à avoir leurs tics. Mes confrères des services politiques, eux, qualifiaient volontiers de « fauves » ou de « grands fauves » les excellences qui nous gouvernent ou prétendent au pouvoir. Manière, peut-être, de s'ériger eux-mêmes en dompteurs intrépides. On était en outre prié de croire que ces grands fauves n'étaient jamais meilleurs qu'acculés. Plus ça allait mal pour eux, meilleurs ils étaient. Quand ils avaient touché le fond (de la piscine, sans doute, ou du marigot), alors c'était gagné : ils ne pouvaient que remonter d'une chiquenaude de papatte. Cette aptitude à rebondir émerveillait les confrères qui, une carrière durant, écrivaient ainsi, à leur manière, ce livre de la jungle. En grand manitou, le président, bien sûr. Tous les chroniqueurs l'érigeaient en « maître du temps » : il avait du temps, paraît-il, il en disposait à sa guise, le pliait à son gré. Il pouvait se planter à une élection, s'étaler à un référendum, se vautrer après dissolution, jamais il ne cessait d'être maître du temps. Ça valait bien les « À lire d'urgence ».

S'ils ne faisaient pas dans l'urgent, les critiques ne manquaient pas d'autres formules comme « Se dévore comme un thriller », « Se lit d'une traite », ou plus simplement « Superbe », « Fascinant ». « Attention, chef-d'œuvre » faisait aussi l'affaire, on en comptait bien cinq ou six par saison. Sans parler des « On n'en sort pas indemne » : c'était fou, le nombre de bouquins dont on ne sortait pas indemne ! Vous lisiez le livre et votre vie, après, n'était plus la même qu'avant. Pour un essai, le critique avait une prédilection pour « Dérangeant mais salutaire », qui ne mangeait pas de pain puisqu'on ne savait au juste ce qui, du bienvenu ou du contestable, l'emportait vraiment. À moins qu'il n'optât pour un tonique « Édifiant » ou un impérieux « Indispensable ».

Le mot court ou la formule concise, voilà ce que n'oubliait jamais le critique professionnel. Qui sait ? L'un ou l'autre pourrait être repris dans les publicités que l'éditeur passe dans les journaux, histoire de montrer à son auteur qu'on investit sur lui, et aux professionnels dont les mots sont cités qu'ils sont promus prescripteurs, leaders d'opinion, faiseurs de slogans pour têtes de gondole.

Six, donc, qui se retrouvèrent, préservés du regard commun par une lourde tenture, dans le petit salon d'un grand restaurant. Je commençai par les remercier, bien entendu, de sacrifier un temps rare à cette œuvre de salubrité qu'est un prix littéraire, autant dire un instrument d'élévation culturelle. Ils s'intéressèrent poliment au prix Marguerite dont je leur racontai l'histoire et les ambitions, ils discutèrent pour la forme des quelques livres, dont celui de Truchoy, que je pensais correspondre à cette qualité française – bonnes manières et raffinement – requise, et, ces préliminaires expédiés, se plongèrent dans l'étude de la carte.

– Un tartare de bar et dorade.

– Pour moi, des crevettes sautées vivantes.

– Thon cru caviar d'aubergines, annonça un troisième.

Mais le plat principal de leurs agapes, ce furent leurs souvenirs des Salons du livre. En habitués, à eux six, ils les avaient à peu près tous faits, et il y en avait !

Le Salon, c'était une coutume bien étrange, une sorte d'exhibition à la chinoise où la plupart des auteurs, tous volontaires, bizarrement, s'alignaient derrière une table en coupables d'avoir pondu un livre dont personne ne voulait. Indifférent, le public défilait devant eux, à distance respectable, de peur, en prenant en main un ouvrage, de se retrouver prisonnier de l'auteur, proie trop rare pour être vite lâchée, de devoir céder à l'achat, pour en finir ou par compassion.

Un supplice, s'accordaient à dire mes six convives. Il fallait voir la tête des malheureux proscrits du succès, dédaignés et s'ennuyant ferme. Ils épluchaient jusqu'à la dernière brève le journal local, allant jusqu'aux mots fléchés, ils bavardaient de-ci, de-là entre voisins d'infortune, se donnant une contenance mais n'ayant rien à faire, chacun, de l'œuvre des autres. Tous jetaient un regard bref et qui se voulait désinvolte sur l'attroupement, là-bas, que suscitait quelque célébrité estampillée.

Un supplice, compatissaient mes hôtes dont, évidemment, aucun n'appartenait à cette foule de figurants qui n'était là que pour révéler, par contraste, le succès des élus. Eux.

– C'en est même gênant, y compris pour nous. Les gens qui se pressent, attendent une dédicace, vous disent un mot gentil, et rien, rien pour votre voisin. Pour un peu, on culpabiliserait…

Elle n'en avait pas l'air, pourtant, cette charmante consœur, l'une des deux femmes de mon jury, que son job de lectrice de prompteur en prime time avait convaincu qu'elle savait aussi écrire. Elle affichait trois romans à son compteur. Au moins, avec elle, j'étais sûr que Truchoy aurait une fan au moment du vote : elle était si convenable !

Les autres surenchérirent sur le succès, si fatigant parfois – une journée à ne pas arrêter de signer – que leur valait leur talent. Puis s'étonnèrent qu'en dehors de leurs propres ventes subsistassent, partout où ils allaient, quelques autres valeurs sûres.

– La guerre, c'est toujours un vrai filon, s'amusa le benjamin de la bande – mon quota *bad boy* – que ses récits glauques d'une banlieue dont il ignorait tout avaient érigé en vigie sociétale. Le genre « De Panzer en bunker » ou « La Vérité sur la prise de Monte Cassino », un tabac assuré au Salon de Nice.

Ainsi allèrent les conversations, légères, égocentriques, comme il faut. Au champagne final, offert par le restaurateur, un photographe vint immortaliser la première réunion du prix Marguerite. Le genre de photo qui n'aurait aucun mal à passer dans de nombreuses publications. Les hommes de la FNIFCD en seraient tout ébaubis.

Pour l'heure, nous nous séparâmes en convenant d'un prochain rendez-vous pour procéder aux premières éliminatoires. Les bonnes manières et le raffinement, les deux mamelles du prix Marguerite, rappelons-le, méritaient bien ce rigoureux processus.

*

Justement. Au calme, je parcourus assez consciencieusement les ouvrages-alibis qui devraient être éliminés pour la seule raison que Truchoy n'en était pas l'auteur. Ce serait l'affaire de trois, quatre jours. Dans n'importe quel livre, on trouve facilement le passage, la phrase, le mot qui, soigneusement ridiculisé, suffit à plomber l'ensemble.

Encore qu'un livre, dans le lot, résista à ma lecture de démolition. Celui-là, je le lus vraiment, envoûté par son charme. L'auteur en était à son troisième roman, mais je n'avais rien lu de lui, ni ne le connaissais, pas même de nom. Un fâcheux, en tout cas, que ce Philippe Veneur. D'ici qu'il tape dans l'œil de mon jury (encore faudrait-il que quelqu'un s'avisât de le lire...), que les esprits s'enthousiasment (encore que lancer un nouveau concurrent sur le marché demandât réflexion...), que le goût de la découverte l'emporte sur la convenance (encore que le suivisme soit plus payant que l'aventure...), d'ici, bref, que ce Philippe Veneur les inspire : « À découvrir d'urgence », « Superbe », « Un grand Veneur » !

J'en frémissais. J'avais un mariage sur les bras, moi, et ce n'était pas un Veneur qui allait évacuer mon Truchoy, mon lauréat, mon complice. Je m'en voulais de mon amateurisme. Je maudissais la légèreté qui m'avait conduit à sélectionner à la va-vite ce bouquin venu d'on ne sait où, écrit par je ne sais qui. J'exagérais, sans doute. Trop de pression. L'effet, aussi, de l'arrivée, pour la première fois dans ma campagne-bord de mer, de Simon et Fabienne, en fin de semaine. On parlerait liste, évidemment, et de Dieu sait quoi encore qui tordrait mes tripes budgétaires. Je me faisais pour rien une montagne de ce Veneur et d'ailleurs, quand Laurent Truchoy m'appela pour s'informer de la tournure des choses, je l'assurai que tout était sous contrôle. Oui, inutile de faire quoi que ce soit de spécial. Oui, ne pas rechigner à rencontrer les jurés, mais pas plus que d'habitude, au gré des cocktails. Oui, les cajoler, mais comme toujours. Comme si de rien n'était.

– Tout va bien, confirmai-je. Tout va, mon cher Laurent.

« Tout va bien, tout va. » Au mot près ce que j'avais dit à Simon le soir où, trois paires de regards rivés sur moi, j'avais dit oui au château et, dans la foulée, prié Honoré de Balzac, expert ès huissiers, roi de la carambouille, prince de l'esquive, stratège de la porte dérobée, tacticien de la fuite en avant, inventeur de la fausse bonne idée, recruteur d'amantes mécènes, de m'assister. Car il était tout ça, Balzac : un arnaqueur, un faux-facturier, un pitoyable quémandeur, un chasseur de dot. Un drôle d'animal bourré d'idées dont beaucoup l'avaient ruiné.

Pas sûr que ç'ait été le parrain idéal.

Voilà : on part sur une idée, on crie « *Help*, Honoré ! » sans savoir vraiment, sur un vague souvenir, on tape sur Google, on approfondit et on s'aperçoit que son héros est d'un génie inégalable, mais, pour le reste, misérable. Les génies, comme les héros, il ne faut pas les connaître. Simplement les admirer, pour le peu qu'on en sait.

## 16

Donc, Fabienne et Simon arrivèrent. Comme prévu, on parla intendance et logistique. Comme prévu, chaque mot, chaque idée, chaque ajout me crucifiaient. Mais, d'une certaine façon, je m'y faisais. Je connaissais même des moments où je m'en foutais, où je m'exaltais, où toute surenchère m'excitait. Je ne vous dis rien des autres, quand, ruiné, humilié, pris au piège, je m'imaginais devoir mendier à Simon un prêt amical, et qu'il me l'accordait, l'animal, de la manière la plus sobre, la plus élégante, la plus raffinée qui soit. Pas un mot de trop, ni de travers, pas une expression qui pourrait passer pour blessante, genre victoire modeste. Rien. Rien à redire. Il me tuait, le salaud, de manière irréprochable. Il m'achevait en me sauvant, bon Samaritain au chevet d'un incapable majeur. Bon ! Mais, à d'autres moments, c'était différent...

Là, je dois dire que je m'intéressais plus à lui qu'au coût du mariage. Je l'avais laissé estomaqué par mon manège champenois à trois bouteilles. J'avais repris la main, sinon le dessus. Aujourd'hui, je le recevais chez moi, sur mon terrain. Le recevoir ici, c'était facultatif, un signe que nos relations n'étaient pas que protocolaires, ou utilitaires. N'était-ce pas l'obliger un peu ? En faire mon débiteur pour au moins quelques jours ? Rabaisser son caquet ? Mais y avait-il caquet ? C'était la question.

Déjà, l'habillement en disait long. Rien n'est plus ridicule, n'est-ce pas, que les bourgeois qui s'habillent campagne (à part, peut-être, un politique qui veut faire peuple). Les bourgeois qui s'habillent campagne, c'est redoutable : le pull trop nature jeté sur les épaules, le pantalon trop velours sur des boots trop nickel, l'écharpe cachemire…

Rien de tout ça chez Simon.

Il s'intéressa à ma maison, à mon jardin, à mon sable à asperges. À mes voisins, à mon village. Et, tout content que l'on s'intéressât à cet endroit qui m'importait, j'y allai de mes explications : mon installation ici, mes travaux, mes projets, mes relations villageoises. Je le bassinai, pour tout dire, sans qu'il donnât jamais l'impression d'être bassiné.

– Mais je vous soûle peut-être, lui dis-je quand même.

– Pas du tout. Ce lieu vous va bien. C'est vraiment chez vous, ici ; plus que Paris, je me trompe ?

Il ne se trompait pas. Dans mon bavardage, je m'étais livré plus que je ne l'avais voulu. Simon inspirait confiance. C'était sa force, qu'ont en commun les gens bien et les escrocs. Non que je soupçonnasse Simon d'être un escroc, je n'y pensais même pas. Mais il m'en imposait et ça m'énervait, et je m'en voulais d'être énervé, et je m'en voulais de lui en vouloir. Tout ça, au fond, parce que j'étais fauché, le seul à le savoir et à le taire. Et la peur d'être découvert. Seul l'escroc amateur connaît ça.

Trois jours de cohabitation avaient confirmé nos soirées parisiennes. Fabienne et Simon étaient vraiment charmants. Elle, enjouée, vive, sans manières. Lui, attentif, bienveillant, sans façons.

Sauf que…

Le deuxième soir de leur présence, Simon me prit à part :

– Vincent, je me trompe peut-être, mais je tiens à ce que tout soit simple entre nous. Alors, voilà, je me lance…

Il rit brièvement pour gommer ce que ce préambule pouvait avoir de solennel.

– Il m'a semblé, poursuivit-il, que les dispositions dont nous parlons pour le mariage vous gênaient quelquefois, quoique vous n'en disiez rien.

– Vraiment ? l'interrompis-je vivement, piqué d'avoir été démasqué.

Il ne me laissa pas poursuivre :

– S'il n'y a pas de problème, tant mieux. Mais s'il y en avait, je ne voudrais pas qu'il gâche ce qui doit être une fête. N'hésitez pas à m'en parler, je le prendrai comme un signe d'amitié.

– Simon, c'est gentil à vous, mais je vous arrête tout de suite..., dis-je un peu trop sèchement (car enfin, il était là, le Simon de mon cauchemar, celui qui m'aide volontiers et m'achève élégamment).

« ... c'est très gentil à vous, répétai-je, mais rien ne me tracasse, je vous assure. Je m'en veux d'avoir pu vous donner cette impression. Peut-être simplement ne suis-je pas doué en organisateur de noces et banquets.

Nous rîmes tous deux.

– Mille fois tant mieux ! s'exclama Simon. Mais je m'en serais voulu d'avoir laissé vivre cette impression sans rien faire pour la dissiper. N'en parlons plus...

– ... Et allons boire une goutte, dis-je. Vous savez que nous sommes ici dans une zone d'appellation cognac.

– Alors, conclut-il en me prenant par le bras, nous sommes bien obligés d'y passer !

Délicieux Simon.

Diabolique Simon ?

Je n'étais guère avancé. Mais, dans ma tête, j'avais perdu une manche d'un duel peut-être imaginaire.

## 17

– Est-ce que ça intéresse le hiérarque d'un journal sérieux de déjeuner avec une écervelée ?

On comprendra mon désarroi. Sans annonce ni préambule, ni rien, comme ça, ce fut la première phrase que j'entendis en décrochant mon téléphone.

– Pardon ? bredouillai-je.

– Oui, entendis-je, une écervelée. Une dévergondée, aussi. Ça vous met sur la voie ?

Cécile !

Je ris.

– Cécile ! Avouez que vous me prenez par surprise !

– Avouez, vous, que c'est « dévergondée » qui vous a fait trouver.

– Délurée eût été plus juste, non ?

– Qu'est-ce que vous en savez ?

Rien, en effet. Sauf qu'elle était drôle, sauf qu'elle m'amusait.

– Je devine, dis-je.
– Voilà bien les journalistes. Ils supputent sans vérifier.
De la repartie, du vocabulaire...
– Mais je me soigne, consentis-je, faussement contrit.
– C'est ce qu'on va voir, ricana-t-elle.
– Quand ? dis-je.

*

Les gens de la FNIFCD piaffaient. Président, secrétaire général, chargé de com', ils me pressèrent de questions au cours d'un déjeuner. Ils voulaient tout savoir de la gestation du prix Marguerite. Les photos et échos parus dans la presse les avaient épatés. Que serait-ce donc à la remise du prix ? Nous en parlâmes longuement. Il fallait bien faire les choses. Des fleurs partout, évidemment. Le chèque que le président, entouré du jury, remettrait à Laurent Truchoy, enfin... au lauréat. L'apothéose. La fleur coupée décorative en était déjà requinquée.

*

Benoît et Anne-Sophie à la maison. Cela faisait un moment que Marie et moi ne les avions vus. Beaucoup de travail, les premiers mois de premiers jobs, et puis les amis... Ils avaient tout de même eu le temps de repérer le dernier en date des attrape-candidats au mariage. Une boîte qui proposait un site Internet personnalisé aux futurs mariés. Je ne compris pas bien l'intérêt de la chose, sauf que, d'un clic, mille services pouvaient être rendus. Mais ce qui enchantait Benoît et Anne-Sophie, c'était l'idée – salement facturée – de fournir aux invités des appareils photo jetables, la boîte se chargeant de mettre les clichés en ligne. J'entendis parler d'album photo virtuel, original, génial…

– Des photos qui n'auront rien à voir avec celles du photographe professionnel, se réjouit Anne-Sophie. Naturelles, spontanées…

– … ratées, floues, voilées ! ajoutai-je, m'empressant de préciser que je plaisantais.

Marie me fut reconnaissante de cette mention. Depuis l'affaire de la vodka, il fallait se méfier.

## 18

J'avais lu la dépêche la veille : en quelques lignes, elle racontait qu'un professeur à la retraite était tout naturellement entré dans le Brooklyn Museum of Art, s'était arrêté devant une toile et l'avait maculée de peinture avec application. L'œuvre l'indignait, avait-il expliqué. C'était une œuvre impie, dégradante, qui souillait et l'art et la foi. Il s'agissait d'une Vierge Marie noire faite de collages pornographiques.

Et ce matin-là, dans le 88, je repensai à cette histoire. À la provocation dans l'art, à l'art transgressif, aux réactions qu'il provoque. Je me remémorai un autre scandale du même genre. C'était une œuvre de Maurizio Cattelan qui représentait le pape Jean-Paul II écrabouillé sous une météorite. L'artiste l'avait appelée *La Nona Ora,* la neuvième heure, celle où meurt le Christ. Dès son exposition, le scandale avait été énorme, provoquant le renvoi immédiat du directeur du musée, la Royal Academy de Londres, si je me souvenais bien. Du coup, *La Nona Ora* avait fait la une de tous les journaux. Et s'était, peu après, vendue un million d'euros.

Je me demandai si c'était l'œuvre qui justifiait ce prix-là ou si l'acheteur se payait le scandale qu'elle avait provoqué. Les deux, évidemment, inséparables : une œuvre et son scandale, le scandale érigé en œuvre, le scandale d'une œuvre qui en devenait, à sa manière, historique.

Le scandale qui transfigure une œuvre.

L'Histoire jugerait de l'œuvre, dirait si c'en était une. Mais ce qui était sûr, c'est que le scandale, au moins, propulsait l'artiste provocateur ou profanateur, lui assurant une promotion sans égale.

Le scandale, ou la singularité, ou l'excentricité. Est-ce qu'il aurait percé comme ça, Basquiat, s'il n'avait pas été noir, gosse du trottoir, défoncé ? Et l'autre, là, le type devenu en quelques jours la coqueluche des médias et du marché de l'art, celui dont on m'avait rebattu les oreilles, au journal ? SDF, poivrot, amnésique : un cocktail gagnant, visiblement…

Je ne savais pas au juste où il les avait eues, ses idées, Balzac. De personnages, de romans, d'affaires, de calculs, où ? Dans l'un de ses repaires, inconnu des huissiers ? Dans la rue, tout en marchant ? Dans une diligence roulant vers Genève ? Un carrosse filant sur Vienne ? Moi, c'était le 88. Mes biographes, au moins, le sauraient !

Que fallait-il ?

Un peintre ? Je l'avais.

Un mécène qui mette au pot (frais d'expo, de vernissage...) ? J'avais mon idée.

Un galeriste ? Je l'aurais si j'avais le mécène.

J'avais tout ça, ou c'était tout comme.

Il me fallait le scandale.

J'allais chercher.

## 19

Nous partîmes dans la voiture de Simon. Une berline bleu marine, intérieur cuir, bois de loupe. Le sérieux et l'opulence du banquier. Tout de la voiture de fonction. D'ailleurs c'en était une. Imprégnée par l'odeur de l'eau de toilette de son propriétaire. Simon pilotait avec assurance. Exactement de la même manière dont il pilotait sa vie, me dis-je, et qu'il se conduisait lui-même. Avec assurance, sans esbroufe.

À peine me dis-je ça que je sentis monter mon indécrottable sentiment d'infériorité. Que je ne me l'explique ni ne parvienne à le terrasser ajoutait à mon trouble. Quelle faille inconnue de moi sa présence me révélait-elle ? Qu'est-ce qu'il chatouillait en moi de si sensible, de honteux ou de complexé ?

Qu'il eût plus d'argent que moi, que je fusse raide à l'insu de tous ne me paraissait pas être une clé suffisante. Je souris à l'idée que son parfum pût me tourner les sens, agir sur je ne sais quelle zone de mon hypothalamus et déclencher un processus chimique aboutissant à mon inhibition.

La chimie avait bon dos, je le savais. N'était-ce pas plutôt qu'il m'apparaissait plus abouti que moi, plus achevé, plus libéré ? Que je me sentais Petit Chose, ni dans l'apparence ni par le statut, mais quelque part en moi ? Que ce Petit Chose assoupi bougeait en sa présence ? Qu'enfoui, qu'enterré, il se manifestait encore, se révélant à moi qui croyais l'avoir réduit à rien ? Réveillé par Simon, ranimé, activé par lui ?

Nous partions en repérage. Simon et Fabienne connaissaient le château. Nous, pas. Simon avait fait valoir que le choix à l'aveugle convenait peut-être au champagne, mais qu'il ne fallait pas exagérer. Marie avait été contente d'aller voir elle-même le lieu des festivités.

De la Porte Maillot, le compteur enregistra soixante-sept kilomètres jusqu'au portail d'entrée. Sur le trajet, nous avions fait attention à tout pour repérer les pièges, les déjouer grâce au plan précis que nous joindrions aux cartons d'invitation. En fait, c'était assez simple, sauf dans les toutes dernières petites routes.

Les photos que nous avions vues étaient bien. Mais, pour de vrai, c'était bien mieux encore. Tout paraissait plus grand, les salons, les jardins… Jamais je n'aurais assez d'amis pour remplir tout ça, me dis-je. À moins d'inviter tout le journal, stagiaires compris. Ce qui me fit penser aux listes, au cauchemar des listes, à l'épouvantable liturgie de la liste des invités.

Les odieuses deux colonnes : ceux que l'on inviterait seulement à la cérémonie, ceux que l'on recevrait aussi au château, les « fromage et dessert ». Cette idée même me révulsait. Bons pour la messe, mais recalés aux petits-fours ? Admis au sacrement, mais inaptes au buffet ? Une méthode à la SNCF : les invités de 1re et de 2e classe. Appliquée à des citoyens, ça s'appelait de l'apartheid. Un carton de plus ou de moins dans l'enveloppe de faire-part, et c'est à cette ségrégation convenue que l'on procédait benoîtement.

À quoi s'ajoutaient de tout aussi odieux cas de conscience : les X ? Ah non ! Pas eux ! Et, tout de suite, cette petite voix qui vous reprochait cette excommunication : n'étaient-ils pas gentils, les X, si pénibles fussent-ils ? Méritaient-ils pareil sort alors que les Y, eux, en seraient, même si on se serait bien gardé de partir en vacances avec eux ?

Les odieux calculs diplomatiques n'étaient pas mal non plus : tous ces Z qu'on ne pouvait pas ne pas inviter dès lors qu'on avait été à leur anniversaire, à la pendaison de leur crémaillère, au mariage de leur gosse, à un barbecue autour de leur piscine, à un week-end à la campagne chez leurs beaux-parents. Il fallait rendre, quitte à vomir.

Enfin les odieux pesages familiaux : comment inviter l'adorable lointaine petite cousine sans devoir se fader la bêcheuse petite-nièce, fixer le degré de parenté, de descendance, de filiation en deçà duquel le ticket familial n'était plus valable pour entrer au château, trancher encore du sort du petit copain de la fille du beau-frère (est-ce qu'on sépare des couples parce qu'ils ne sont pas brevetés par l'état civil ?), sans parler du tendre ami du neveu qui…

Une tape sur l'épaule me tira de mes pénibles équations : on quittait les lieux.

Dans la foulée, Simon et Fabienne nous invitèrent dans un restaurant du coin. Ils avaient réservé. Une auberge avec tous les ingrédients typiques : glycine, fenêtres à petits carreaux, nappes rustiques blanc et rouge. L'établissement modèle déposé au pavillon de Sèvres.

– … Ils ont quelques chambres, ici, dit Simon. Si certains de nos invités préfèrent passer la nuit tout près du château, c'est idéal, non ?

Fabienne raconta comment cette auberge lui rappelait la maison de ses grands-parents, dans la Sarthe. Eux-mêmes n'avaient pas de maison. Jusqu'ici, ils louaient d'une année sur l'autre à Hossegor et voyageaient le plus souvent.

– Mais, ajouta-t-elle, nous y songeons. Et la visite que nous vous avons faite a excité notre envie. N'est-ce pas, Simon, il va falloir nous mettre à chercher.

Il approuva. On parla des lieux. Bord de mer ou campagne. Des attaches. Des goûts. De prix. De prêts. Il était bien placé pour en avoir d'avantageux. Du champagne, des prêts, des primes sans doute : la banque était bonne mère avec lui. Je m'abstins de penser à ce que me coûtaient les remboursements, pour mes asperges. Nous n'avions pas parlé mariage, mais nous nous dîmes que le temps était venu de nous y mettre plus avant.

## 20

J'eus un choc quand Laurent Truchoy me remit l'enveloppe : ma part dans le prix Marguerite. Quatre-vingts pour cent pour moi, vingt pour cent pour lui. Je l'ai dit : il était riche, seulement en manque d'une piqûre de rappel de reconnaissance, un nouveau petit tour sur scène, un galon de plus à sa boutonnière, une ligne de plus à la rubrique « distinctions » de sa notice *Who's who*, du miel sur son moi. On aurait dit une scène de film. Deux complices qui se retrouvent. Seuls. Se partagent un butin. Lui qui sort l'enveloppe. Moi qui la prends, surpris de son poids. Moi, comme un truand. Pour la première fois je sentis physiquement le prix de ma magouille, tâtai et soupesai les trente deniers de mon imposture.

Franchement, je n'étais pas bien. Truchoy, lui, très à l'aise. Les bonnes manières n'apparaissent jamais autant que dans les situations crapoteuses. L'air de rien, un sourire aux lèvres, il bavardait comme si la situation était absolument banale, que dix fois dans sa vie il avait acheté un prix et payé ainsi son dû à un complice. Il ne dit rien en me tendant l'enveloppe. Mais parla avec délectation de l'honneur qui venait de lui être rendu, de la réception « vraiment très réussie », de la qualité du jury et de la pertinence de son choix.

– Vous avez fait du bon travail, me dit-il.

Il n'y avait dans son propos aucune ironie, pas d'ambiguïté. Je compris qu'il avait tout oublié, tout blanchi, comme un auteur efface le nègre qui a tenu sa plume.

Mais il avait raison sur un point : tout avait marché comme sur des roulettes. Les deux autres dîners avec les membres du jury n'avaient été qu'une formalité. Tous avaient admis qu'on ne faisait pas mieux que Truchoy en matière de bonnes manières et de raffinement. À peine, pour la forme, lui opposa-t-on un concurrent, en sorte que le vote ne soit pas soviétique. La petite troupe, à la pointe du médiatique branché, s'émoustillait à l'idée de surprendre son public en couronnant le représentant patenté d'une certaine vieille France. Chiquissime. Décalé. Vintage. La touche qui fait mouche (entendez : qui ajoute une plume à la queue de ces paons). L'avantage collatéral de se faire de Truchoy un obligé n'était pas rien non plus : les réseaux du vieux étaient ce qui se faisait de mieux.

Inutile de dire que pas une fois il ne fut question de Veneur, cet auteur qui m'avait impressionné. Dire que je m'étais inquiété ! Craint qu'on s'aperçût de son existence ! Allons, couronner un concurrent... autant se tirer une balle dans le pied, s'exclure du jeu, se priver des cocktails, tables et buffets où l'on banquette et becte entre soi, la seule bonne compagnie qui vaille. Mais Truchoy, oui, bien sûr, cela va de soi.

Truchoy impérial lors de la remise du prix. La FNIFCD avait bien fait les choses. Le Pavillon Gabriel, loué pour la circonstance, était une splendeur florale. Une succession d'œuvres d'art devant quoi les plus blasés ou les plus indifférents au sort de la fleur coupée décorative devaient rendre les armes. Je félicitai son président qu'accompagnaient son staff et les grosses légumes, si j'ose dire, du secteur. Il était heureux, ému aussi d'avoir à lire devant pareille assistance son petit mot de sponsor. Il le fit très bien, d'ailleurs, sachant ne pas trop insister sur toutes les fleurs, autres que celles du mal, qui balisaient le chemin de la littérature. Il remit une marguerite en cristal à Truchoy en même temps qu'un chèque de 20 000 euros (net d'impôts) car la FNIFCD, sur mon conseil, n'avait pas lésiné. Non plus que sur le buffet, vu l'hommage empressé que lui rendirent lauréat, auteurs, éditeurs, critiques et journalistes.

Quatre-vingts pour cent de 20 000, ça fait 16 000 euros. 105 000 francs. Ma part. Mon butin. Une somme ! Je n'espérais pas tant. Mais Truchoy, d'emblée, avait jugé étriqué le deal à cinquante-cinquante que je lui avais proposé à notre première rencontre.

– Mon cher, tant qu'à faire les choses, faisons-les avec panache. Que l'honneur soit mon principal bénéfice, et l'argent le vôtre, avait-il dit. Que chacun trouve dans notre arrangement ce qui lui importe le plus, n'est-ce pas ?

J'avais opiné en admirant la tournure. Car, tout riche qu'il était, Truchoy aurait pu ne pas avoir la manière. Lui l'avait eue d'autant plus que toute rentrée d'argent, et plus encore aléatoire et défiscalisée, lui permettait quelques galantes dépenses sans trop taper dans le porte-monnaie de son exquise épouse. Grand seigneur il avait été : quatre-vingts pour cent !

Voilà que j'étais sur le point d'en faire un gentleman ! Et de moi un bienfaiteur, tant qu'à faire ! Alors que nous n'étions que deux magouilleurs, des magouilleurs à bonnes manières, peut-être, mais magouilleurs. Lui égotiste, avide d'honneurs même frelatés, même marchandés ; moi, négociant véreux, trafiquant d'influence, abuseur de position.

Donc, je n'étais pas très bien, l'enveloppe à la main. Pas si grosse que ça, d'ailleurs : c'est l'avantage des euros. Trente-deux billets de 500 euros, ça faisait. Tout juste de quoi gonfler la poche intérieure d'une veste. Mais je commençais à le tenir, mon mariage. Le compte n'y était pas encore, mais je ne jouais plus au poker contre Simon avec que dalle dans mon jeu. J'ai honte de le dire, mais mes états d'âme en furent apaisés.

Nous nous quittâmes, Truchoy et moi, plutôt amusés de notre machination. Nous n'en parlerions jamais plus, c'était évident. En sortant du coin discret de ce bar d'hôtel où nous nous étions réfugiés, Truchoy fut salué – et félicité – par un couple de ses lecteurs. Aux anges, Truchoy. Je le laissai là.

Je réservai pour le vendredi soir une table chez Guy Savoy. Une sorte de blanchiment d'argent. Toujours un bifton que ce satané mariage n'aurait pas !

## 21

Je passai avec Cécile un moment excitant. Excitant est le mot juste. Parce que drôle, cynique, séducteur, canaille. Cette fille s'amusait de tout, elle avait tout compris de son époque, de son métier, même si, à vingt-deux ans, elle n'affichait à son palmarès qu'un seul vrai rôle. Elle était légère et pas dupe. Intelligente, quoi. Et mignonne comme tout.

Est-ce que nous flirtions ? Donnant chacun notre meilleur pour piquer, intriguer, provoquer l'autre ? Il y avait de ça, évidemment, dans ce moment où nous nous découvrions sans rien savoir ni rien exclure de la suite.

Elle jouait le rôle de la frivole, moi celui du vieux con. Les stéréotypes ont du bon, surtout dans le marivaudage. C'est un canevas sur lequel broder. Tout est dans l'interprétation.

Elle était douée. Ce qu'il fallait de moues, de griffes, de détachement, de drôlerie. Des variations inattendues, une touche de minauderie, une bouffée de bravade. Son nez qui se plisse, ses paupières qui la font soudain ténébreuse, sa bouche qui se fronce, et le tout qui vole en éclats de rire, de lumière, et ses mains qui virevoltent, infatigables, faisant briller devant elle, pour mieux m'hypnotiser, la lourde bague en argent qu'elle portait à l'index.

Moi, je riais, je protestais, je me récriais, je contre-attaquais, je la corrigeais, je faisais le ronchon. Ce n'était pas un si mauvais registre, face à elle. Je n'allais tout de même pas jouer au pathétique séducteur quinquagénaire, tempes argentées et carte gold ! Les stéréotypes ont leurs limites, celles du bon goût. Et puis, le rôle du bourru m'allait assez bien, désenchanté de l'air du temps, désillusionné de ses contemporains, dessillé d'une piètre époque.

Ça paraît un peu lourdingue, dit comme ça. Sauf que je ne me lançais dans aucune logorrhée philosophique. Non, je lui parlais du problème des tomates, par exemple. Les tomates, c'est mon dada. Est-ce qu'une fille entend souvent parler de tomates ? Est-ce qu'elle est seulement saisie du problème ? Est-ce que Cécile s'attendait, là, face à moi qu'elle séduisait, que moi, qui voulais la charmer, je lui fisse part de ma colère sur le sort des tomates ?

– Et qu'est-ce qu'elles ont, vos tomates ? se força-t-elle à m'interroger, affichant ostensiblement un mortel ennui.

– Elles ont qu'on en a fait un produit calibré au micron près, rouge à point, zéro défaut, et que, si vous me posez la question de savoir ce qu'elles ont, c'est la preuve que vous n'avez jamais mangé les vraies, les charnues, les difformes, peut-être, les goûteuses que les oiseaux disputent à l'homme. Et que c'est triste, quand toutes les Cécile de vingt-deux ans n'en ont aucune idée. Voilà la maladie des tomates, grognai-je, celle du progrès à rebours !

Elle pouffa. Ma petite parabole lui parut délicieusement désuète et son propre sort ne lui sembla pas sinistré, toute condamnée qu'elle fût à ingurgiter ces ersatz rouge aqueux. Le ronchon marchait fort, avec elle, un registre qu'elle semblait découvrir avec une folle gaieté, comme une bonne blague. Son rire était un appel à récidiver : encore, une autre, une autre !

Il fallait que je fasse plus fort dans l'excentrique, le décalé, l'ahuri. J'avais ça en magasin.

Je lui racontai donc mon apitoiement, un jour, à la vue d'un pauvre garçon. Il devait avoir seize-dix-sept ans. Il était de l'autre côté de la rue, seul, attendant son bus comme moi j'attendais le mien. Il gesticulait, riait sporadiquement, se taisait, riait encore, parlait, gesticulait à nouveau. Il paraissait normal, par ailleurs, normalement vêtu, sans ces chemises boutonnées jusqu'au cou que portent en général les pinpins, son visage ne trahissait aucune anomalie. Seul son comportement était celui d'un demeuré, d'un inoffensif possédé. Déjà j'avais une pensée pour ses parents : qu'allaient-ils en faire, de leur gentil gogol ? Je l'imaginais dans un centre de jour où il devait aller suivre Dieu sait quelle formation.

– Ben, c'est juste qu'il téléphonait, m'interrompit Cécile. C'est pas ça ?

C'était ça.

Elle pouffa encore.

– Vincent, c'est pas possible ! Vous le faites exprès pour me faire rire ?

– C'est déjà pas rien…

– Non, mais vous êtes grave, vous savez !

– Mais, plaidai-je, ce type, là, dont je vous parle, il avait juste un fil qui pendait de son oreille et passait devant sa bouche. Rien qui se voie. Donc, il téléphonait, oui, je ne découvre pas le portable mains libres, rassurez-vous. Mais à voir, c'était un débilote. Est-ce que vous réalisez ça, Cécile, que j'ai réagi comme auraient réagi les milliards d'hommes qui sont passés sur cette terre depuis Lucy jusqu'à… jusqu'à aujourd'hui où l'on peut parler au monde avec une boule dans l'oreille et un fil devant la bouche !

– Vous auriez fait une belle paire avec Lucy, rit-elle.

– N'empêche, vous voyez ce que je veux dire. Désormais, quand on verra quelqu'un avec un comportement insensé, il faudra d'abord penser qu'il téléphone. Sonorisé, le type, il sera sonorisé comme une pièce truffée de micros. Et des millions de ses contemporains seront comme lui. Tous, dans la rue, dans le bus, ressemblant à ce que l'on avait pris pour des simplets depuis des millénaires. Vous imaginez ça, Cécile ?

– Et vous, tout seul à ne pas vous faire greffer une oreillette ?

– Même pas sûr ! Imaginez une foule de piétons, tous marchant en gigotant, parlant, criant. Et puis quelqu'un, admettons moi, non appareillé. Je marcherais, tranquille, je ne dirais rien, moi, et on me regarderait, moi, comme un drôlichon muet. Un autiste, peut-être ? Un suicidaire ? Un amputé de l'oreille ? L'anormal, ce serait moi. Aurais-je à faire semblant de parler pour n'être pas suspect ? Parler dans le vide, à personne et de rien, comme les vrais gogols d'antan ?

J'en étais là de mes élucubrations comme jamais Cécile n'en avait entendu, quand son portable sonna. Elle fouilla son sac, répondit, consulta sa montre, écarquilla les yeux.

– Oh, mince, dit-elle. J'arrive. Je suis là dans… une petite demi-heure, le temps d'arriver. Ciao !

Nous quittâmes à la va-vite le restaurant désert. Nous nous séparâmes en nous faisant la bise.

– Le monde selon Vincent, c'est quelque chose, me glissa-t-elle sans rire, cette fois, avec une douce gravité, même, me sembla-t-il. La suite au prochain numéro, d'accord ?

Elle insista sur le « d'accord ». Et puis elle fila, splendide fille, comme dans un film. En actrice.

J'avertis le journal que j'avais pris du retard, mais que j'arrivais. Rien de particulier ? Non, rien de particulier. Alors je choisis de rentrer à pied.

Le plaisir que j'avais pris à ce déjeuner.

Le trouble que j'avais ressenti – et créé chez elle ?

Le jeu, l'ambiguïté, l'excitation. La séduction.

Et puis, curieusement, la tournure prise par notre conversation, la teneur de mes divagations. Je n'avais pas seulement fait le malin devant Cécile. Mais, sans le savoir, me disais-je en déambulant, j'avais nourri en arguments le procès que je me faisais à moi-même.

Des tomates et une oreillette. Dans un cas, l'apparence du fruit, sa rougeur, son toucher, mais un fruit d'eau, de pépins, de pipette, de dosette, un faux fruit. Dans l'autre, l'apparence du parler, le nec plus ultra de l'homme, paraît-il, sa singularité par rapport à l'animal, en tous temps, en tous lieux, mais du parler pour faire bouger ses lèvres, du parler par peur du silence ou de la solitude, du parler sans rien dire, sans rien se dire, pour ne rien dire, machinal, mécanique, du faux parler.

Dans les deux cas, du frelaté. Et moi, au fond, en montant un faux prix, en lançant demain un faux artiste sur la rampe d'un faux scandale, en m'initiant ainsi à l'artisanat du faux, eh bien, je jouais juste avec l'époque. Jamais je n'avais été autant à son diapason. Aussi contemporain.

Loin de m'accabler, tout ça, plutôt étrangement, me libéra. En ce monde pas très respectable, que pesaient les minuscules touches que j'apportais au tableau d'ensemble ? Le faux, c'était la bonne idée du moment, qui aurait cloué sur place Honoré.

## 22

Un peintre, je l'avais. Il s'appelait Romain Robert et signait ses toiles Lermann pour une raison sur laquelle il était toujours resté évasif. En tout cas, ça sonnait mieux que Robert. Lermann, donc, à trente-deux ans, n'était plus un inconnu, même s'il l'était encore trop à son goût. Il avait un agent, un galeriste attitré et une petite cote qui le faisait vivre gentiment. Il en imposait, Lermann, lâchant, avec une économie de mots qui forçait l'attention, ce qu'il fallait d'explications pour que ses toiles acquièrent un sens insoupçonné, une profondeur inattendue. Il était grand, efflanqué, ses joues creuses soigneusement mal rasées, très artiste. Un bandeau noir retenait invariablement ses cheveux, ce qui lui donnait une touche bienvenue.

Je le connaissais depuis toujours. Même avec moi il ne se départissait jamais de son discours chiche et enfiévré. Je lui avais acheté une toile, à ses débuts. Franchement, je ne comprenais ni ne ressentais grand-chose à ce qu'il faisait.

Ce n'était pas le cas de Monsieur C. (il n'aimerait pas que je cite son nom). Lui, patron d'un des plus importants cabinets d'expertise comptable parisiens, investissait à fond sur Lermann. De l'artiste il possédait des dizaines de toiles. Il croyait en Lermann, il savait que celui-ci devait, allait exploser sur le marché. Alors, il pourrait revendre ce qu'il avait accumulé. Monsieur C. ne pouvait que trouver son compte à mon idée. Mon mécène, je le tenais.

Mon scandale, je l'avais trouvé. Ça n'avait pas été si facile. Le marché de l'art en était saturé. Religieuses ou sexuelles, toutes les transgressions avaient été osées. Seul encore le créneau de l'islam restait inexploré. Aucun artiste, aussi rebelle, destroy, anar, contestataire ou *no future* fût-il, ne s'y était risqué. Une fatwa sur Rushdie avait, mieux que toute indignation, marqué les limites de l'art transgressif. Inutile de dire que je ne m'y lancerais pas non plus : pas fou.

Côté matériaux, c'était pareil. Tout avait été utilisé pour bâtir une œuvre ou monter une installation : la céramique d'un urinoir, des morceaux de bagnole, des monceaux de charbon, des toiles vierges, des Tampax maculés. Tous les excréments, tous les liquides, toutes les sécrétions, les humeurs, le sperme et les glaires du corps humain avaient été mis à la sauce artiste. On injectait du vrai sang dans un moulage, on exhibait de vrais cadavres écorchés, on exposait des veaux tranchés dans le sens de la longueur et plongés dans du formol.

Mille trajets, au fond du 88, n'avaient accouché dans ma tête d'aucune provocation supérieure. C'est dur d'être artiste, aujourd'hui, un artiste à scandales du moins, capable d'enflammer la planète et de révulser convenablement le public. Sur ce terrain, je n'étais pas de taille.

C'est par un chemin de traverse que je m'en tirerais. Faire simple et gros. Être opportuniste. Me servir des circonstances. Je n'avais pas à bâtir la carrière d'un artiste (que Lermann m'en excuse). J'avais à créer une flambée, c'est tout, et à prendre ma part. Simple et gros, facile, démagogique, illusoire, incandescent : j'avais trouvé.

## 23

– Dis donc, qu'est-ce que tu lui as fait, à Cécile ?

– Ben, j'ai déjeuné avec elle…

– Et tu as mis quoi, dans son verre, pour la rendre comme ça ?

Jean-Philippe me regardait d'un œil goguenard.

– N'oublie pas que c'est moi qui te l'ai présentée, je m'en sens responsable, moi ! poursuivit-il comme un parrain mafieux.

– Pourquoi ? Elle veut porter plainte ? Lancer un contrat sur ma tête ?

Je dois avouer que, titillé, impatient d'en savoir plus, je me sentais secrètement flatté à la pensée d'avoir pu lui faire de l'effet. Mais Jean-Philippe ne paraissait pas disposé à développer, pour m'obliger, l'animal, à quémander.

– Non, je te rassure, elle n'en est tout de même pas là.

– Où, alors ?

– Ouh là là ! Tu t'imagines pas que je vais trahir le secret d'une confession, hein !

– Ça te va bien ! Tu ne fais que ça chaque semaine, dans ton torchon.

– D'accord, mais là, c'est pas pareil. Je suis pas payé…

– Combien ?

– Quoi ?

– Combien tu veux, espèce de salaud, pour cracher ce qu'elle t'a dit ? Ah, je te reconnais bien là : appâter, ferrer, et maintenant m'extorquer des supplications. Un vrai boulot de professionnel !

– C'est le mien, justement, à peu de chose près.

– D'accord ! Mais là, on déjeune, alors tu oublies ta casquette et tu déballes.

Il arrêta le suspense. Me raconta le coup de fil de Cécile : « Il est spec', ton copain », elle avait dit, « jamais vu ça encore ». Elle avait été souvent draguée, mais ne connaissait pas le coup des tomates et de l'oreillette.

– J'ai rien compris à ça, s'interrompit Jean-Philippe. Les tomates, l'oreillette, ça te dit quelque chose ?

– Ouais, ouais.

Il m'obligea à livrer ma prétendue recette.

– Très fort, approuva-t-il. Très con et très fort. Parce que la petite, elle n'en est pas revenue, crois-moi. Intriguée, amusée, le cocktail gagnant ! Très fort, répéta-t-il. Bref, elle se demande si tu es un redoutable séducteur ou un misanthrope néoréac.

– Et pourquoi pas les deux ? Elle me mésestime, dis donc.

– En tout cas, j'ai rarement vu une détection aussi précoce des impostures qui nous gouvernent. Et je te signale qu'en plus elle vend.

– Quoi, elle vend ?

– Elle fait vendre. Mon torchon, par exemple. Mais d'autres, aussi. Tu la mets en une, et ça marche. On commence à se la disputer. Ses prix montent à toute allure.

C'est en pensant à cette conversation, le lendemain, dans le 88, que j'eus un bout d'idée. On ne m'arrêtait plus ! J'allais finir par humilier Honoré, à ce rythme ! Un bout d'idée qui pouvait être lucratif en même temps que franchement rigolo.

Oui, s'ils marchaient, Cécile, Jean-Philippe et moi, on allait pouvoir s'amuser.

## 24

Ce soir-là, j'apportai chez Simon et Fabienne deux bouteilles de champagne prélevées sur la caisse qu'avait fait livrer chez moi la FNIFCD en même temps qu'une gerbe de fleurs pour Marie. Une petite carte accompagnait l'envoi : son président m'y disait toute sa reconnaissance, et combien il me savait gré de la réussite éblouissante du prix Marguerite. C'est vrai que l'affaire avait eu de l'écho et que la fleur coupée décorative s'était fait une place aux côtés de Truchoy, ce qui n'était pas rien. Lequel Truchoy, comme chaque membre du jury, avait reçu une caisse de bordeaux, nouvelle preuve que les dirigeants de cette branche professionnelle avaient dix fois plus de savoir-vivre que bien des jurés.

Il ne nous restait plus que des détails à régler. Le nombre de nos invités respectifs avait été arrêté (je n'avais pas lésiné, de telle sorte que mes troupes ne se retrouvent pas minoritaires), le traiteur aussi (un menu à 80 euros la part, livraison sur place et personnel en cuisine compris). Benoît et Anne-Sophie se chargeraient de recruter l'orchestre à leur goût.

Ne restaient que des broutilles. Décoration florale à l'église et sur les tables. Mais, avec la FNIFCD dans la poche, il ne me serait pas difficile d'avoir un bon rapport qualité/prix. Impression des menus. Simon en tenait pour une fabrication maison. On faisait des documents très propres avec un ordinateur, à preuve les menus imprimés à la banque. Du quasi-professionnel.

Je tiquai.

Non, me fit-on valoir, avec une bonne imprimante et un papier de qualité, le résultat serait impeccable.

– Sans doute, m'obstinai-je, mais jamais aussi bon qu'un menu imprimé dans une imprimerie par un imprimeur. C'est à ce genre de détail qu'on voit la différence. Je trouverais bête qu'ayant bien fait les choses importantes on lésine sur ces à-côté, non ? Vous n'êtes pas d'accord ? Et d'ailleurs, bien des gens conservent le menu : autant qu'il ait de la tenue !

L'argument du chipotage – on n'était pas à ça près ! – emporta l'adhésion, sinon l'enthousiasme. Marie, Simon et Fabienne y allèrent chacun de leur « Bon, bon », « Soit », « D'accord », soucieux, je le devinais, de ne pas contrarier mon caprice inattendu.

– Par la même occasion, poursuivis-je, on pourrait aussi faire imprimer le livret de messe de mariage. Vous ne trouvez pas ? Ça ne devrait pas aller chercher loin. Il faut quoi ? Les chants, l'épître, l'évangile, les intentions, je n'oublie rien ? Si, peut-être d'autres textes qu'Anne-Sophie et Benoît auront eux-mêmes choisis. Là encore, c'est un souvenir qui se garde.

Le cas du menu ayant été avalé, il était difficile de condamner des textes sacrés au purgatoire d'une imprimante. Tous opinèrent, mais comme on se débarrasse d'une dernière corvée.

Je sentis que Simon faisait effort pour recouvrer sa bonne humeur coutumière.

– Eh bien, voilà une affaire bouclée et bien bouclée, lança-t-il, enjoué, en levant sa flûte de champagne. Un toast au mariage, et on passe à table !

À l'unisson, épanoui, je levai mon verre. Nous nous congratulâmes d'en avoir fini. C'est que c'était un vrai boulot. Un investissement, aussi, mais enfin, nous n'avions, les uns et les autres, qu'un seul enfant (et moi des dettes, et des asperges) qui méritait bien, n'est-ce pas, qu'on se décarcasse. C'était fou, le nombre de choses à quoi il avait fallu penser.

– Justement, dis-je. Encore une chose. Et, pour le coup, ce n'est pas un détail.

Tous me regardèrent comme un emmerdeur de première. À sa mine soudain contrariée, à un éclat de son regard, je vis que Simon se demandait quel jeu je jouais soudain.

– Diable ! Et qu'est-ce que c'est ? lança-t-il, s'efforçant au calme des vieilles troupes, adoptant le ton de celui qui ne se laisse pas facilement effaroucher ni déstabiliser.

– Oh, je n'y ai moi-même pensé que tout récemment, mais, plus j'y pense, plus je me dis que nous ne pouvons y couper.

– Mais quoi, Vincent ? De quoi parles-tu ?

Cette fois, c'était Marie qui intervenait, sans cacher, elle, sa contrariété.

– Le transport, lâchai-je. Le transport entre le château et Paris.

– Allons donc ! coupa Simon. Tout le monde a une voiture, même les amis des enfants.

– Et le retour ? Vous avez pensé au retour ? Vous imaginez tous nos invités, nos parents, nos amis, nos amis d'amis, les amis de nos enfants reprendre la route, en pleine nuit, des petites routes étroites, avant d'atteindre l'autoroute ? Et tout ça après avoir bu, bien bu, après avoir dansé, fatigués en tout cas ? Tous bons pour l'Alcootest. Vous imaginez si l'un d'eux avait un accident, si un accident gâchait la fête, si un accident assombrissait à tout jamais ce qui ne doit être qu'un jour de fête ? Vous imaginez notre sentiment de culpabilité ? Non, non, nous sommes responsables de ce mariage. Je ne veux pas passer cette nuit-là à me demander si tout le monde est bien rentré ou si quelqu'un s'est planté en chemin.

Mon petit discours fit son effet : Fabienne et Marie blêmes, Simon lui-même rembruni.

Il réagit tout de même, s'efforçant à dédramatiser :

– Ouh là ! Vincent ! Comme vous y allez ! On peut organiser une soirée à soixante-dix kilomètres de Paris sans devenir moniteurs de classe verte ! Leur consommation d'alcool, leur état de fatigue, leur conduite au volant, c'est quand même leur affaire, non ? On ne va tout de même pas les border dans leur lit. Et pourquoi pas leur distribuer de l'Alka-Seltzer à leur réveil ?

Fabienne mit sa main sur le bras de son mari.

– Tu n'as pas tort, Simon, mais Vincent a raison. Nous faisons tout pour que nos invités mangent et boivent bien, on ne peut pas s'en laver les mains. Nous faisons tout pour qu'ils s'amusent. Je suis sûre que beaucoup apprécieront de se faire conduire au château et reconduire à Paris. Vincent a raison. Votre avis, Marie ?

Marie dit que le simple fait d'avoir pensé à l'accident nous interdisait de ne pas prendre des dispositions pour l'éviter. Que ne rien faire, y ayant pensé, c'était se condamner au remords à vie si survenait quoi que ce soit de fâcheux. Que poser la question, à ses yeux, c'était y répondre.

Un silence s'ensuivit.

Simon le rompit, renfrogné.

– Eh bien, soit ! Je n'insiste pas. Peut-être avez-vous raison, d'ailleurs.

– Je crois, Simon, je crois, dis-je, l'air peiné de celui qui regrette d'avoir soulevé une bonne question et s'accable que son point de vue l'ait emporté.

Pas une once de triomphalisme, surtout pas. J'imaginais la coléreuse gamberge de Simon.

Quoi ? Ce Vincent qui hésite sur le château, qui chipote sur le champagne, qui râle, rechigne, renâcle sous couvert de faire bonne figure – il a son orgueil –, et le voilà coup sur coup qui veut des menus sur vélin et un service de convoyage ? Est-ce qu'il savait ce que ça allait lui coûter, sa petite plaisanterie ? Est-ce qu'il le réalisait seulement ?

– Vous réalisez naturellement, mon cher Vincent, que cette tranquillité d'esprit va nous coûter les yeux de la tête.

Il avait dit cela très tranquillement. Comme si cet aspect pécuniaire lui était, à lui, totalement indifférent. Comme s'il allait, en revanche, me faire changer d'avis. Il avait dit cela sans avoir pu s'empêcher d'y mettre du défi. C'est du moins ce qu'il me sembla. Le réalisme par l'argent, le prix, le coût, la dépense qui rendent raisonnable ! Qui rabaissent le caquet ! Qui font et marquent la différence ! Les belles idées hors de prix, coucouche. Fini, joujou. L'argument du compte en banque. Est-ce que je me trompais ? Simon s'était-il senti perdre pied ? Senti perdre, tout simplement ? En avait-il été réduit à se rétablir si misérablement ? Comme si l'argent était sa dernière ligne de défense quand les autres – son charme, son naturel, son assurance, sa présence, son parfum, ses phéromones – avaient été enfoncées ? Est-ce que je me trompais ? Mais, ce soir-là, sur cette phrase, j'en eus fini avec le sentiment persistant qu'il m'était enviable, qu'il m'était supérieur.

Je le regardai et me mis à rire, désinvolte.

– Si je réalise ? Tellement, mon cher Simon, que j'en ai les boules !

Cette touche de vulgarité, associée à mon incongrue légèreté, combinée à mon inattendue disposition à banquer, attira sur moi les trois regards. Les trois mêmes qui s'étaient inquiétés, voilà quelques mois, de mon aval à la location du château. Les mêmes qui m'avaient supplié, les mêmes que je n'avais pas osé décevoir. Et qui, là, se demandaient à qui ils avaient affaire, ce qui me prenait, si j'étais sérieux. À vrai dire, je regardais surtout ceux de Simon et Fabienne, mais celui de Marie me paraissait tout aussi interloqué.

– Parce qu'enfin, poursuivis-je avec un sérieux de géomètre, réfléchissons un peu. L'idéal, pour ceux, bien sûr, qui ne préféreront pas leur voiture, serait d'avoir deux gros cars de l'église au château. Pour le retour, il faudrait disposer de navettes plus petites qui partiraient, disons, toutes les heures à compter de minuit, jusqu'à cinq heures du matin. C'est incontestablement une certaine logistique : véhicules, chauffeurs, le tout un week-end et en tarif de nuit. Bonbon, en effet, ça va nous coûter bonbon ! Simon, dites-nous franchement, est-ce un problème pour vous ?

Surpris par la franchise de ma question, il ne mit qu'une seconde pour se reprendre.

– Tout ça me paraît irréprochable. Parfait. Rien à redire. Non, tout me va, les cadences des navettes, c'est bien, je crois. Aucun problème, Vincent. À croire, ajouta-t-il, que vous êtes un expert en boîtes de nuit !

Ce qui détendit l'atmosphère que plus rien ne vint gâcher.

Dans la voiture du retour, je respirai l'odeur de parfum que la poignée de main de Simon avait laissée sur la mienne. Je me demandai si c'était bien la même.

# 25

Comment dire ?

Je m'amusais.

Ma vie était à la fois nouvelle et piquante. Mes petits business au noir m'absorbaient. Je n'arrêtais pas, fidèle au moins sur ce point à Honoré. Tout pouvait encore « couiller grave », comme il arrivait à Marie de dire, et ce n'était pas mon numéro sur les bus et les navettes qui me permettrait d'atteindre mon objectif : rentrer dans mes frais. Je pouvais m'être acoquiné en pure perte, avoir franchi des lignes jaunes, flirté avec le louche, malmené la morale, changé, quoi, pour rien. Ou pour pas assez.

Mais je m'amusais.

Mon activité d'apprenti canaille me faisait vivre plus fort. Je jouais, je misais, je tremblais, je vibrais. J'avais mis de la fébrilité dans le calme de mon existence, de l'aventure dans mon raisonnable. Un cocktail inconnu qui me galvanisait.

Qui me troublait, aussi. Je goûtais à des charmes, à des fantaisies, à des émotions inattendus. Que ne les avais-je connus plus tôt ! Mais qu'est-ce qu'on y peut, hein, si l'on a été sérieux trop tôt, et sage quand l'âge vous eût permis de ne pas l'être autant ? Il avait fallu ce déclic, ce mariage, un fils adulte…

– Qu'est-ce qui se passe, Vincent ? m'avait demandé Marie, un soir.

Nous étions au restaurant, un bon restaurant. Nous y allions régulièrement, désormais. Nous commencions par une coupe.

– Pas aussi bon que le champagne de Simon, avais-je esquivé. Enfin, le champagne du mariage…

Elle avait souri et répété :

– Qu'est-ce qui se passe, Vincent ?

– Comment ça ?

– Tu as l'air, je ne sais pas, étrangement enjoué.

– Ça ne te chagrine pas, j'imagine ?

– Ça m'intrigue. J'ai l'impression de découvrir en toi une bestiole espiègle, cabotine…

– … qui te déplaît ?

– Qui m'intrigue. Est-ce qu'on change comme ça à cinquante et un ans, sans raison ? Est-ce qu'il y a une raison ?

Je ris.

– Une femme, tu veux dire ?

– Ce pourrait être une raison, en effet.

Je ris encore, et bus, et dis :

– Je t'adore, Marie.

– Ça commence mal.

Elle avait ses yeux plissés dont on ne savait encore trop s'ils étaient complices ou soupçonneux, seulement méfiants ou déjà douloureux.

– D'abord, dis-je, je te ferai remarquer que tu me poses une question que nous nous sommes interdit de nous poser.

Elle en convint.

– Annule ma question, dit-elle très tranquillement sans que je sache s'il fallait y voir de la résignation, du détachement ou le simple respect de notre code.

– J'annule.

Je la regardai, souffrant tout à coup qu'elle pût souffrir, si elle souffrait, si elle se demandait si... Elle attendait. Alors je lâchai :

– Une femme, oui. Mais pas seulement. Des fleurs aussi, et un scandale.

– C'est un rébus ?

– Trois paris, surtout. Qui me tourmentent, m'excitent, m'occupent, m'obsèdent, me distraient. Et me changent, oui, tu as raison, Marie. Ça, je ne l'avais pas prévu. Je n'ai pas prévu grand-chose, d'ailleurs : j'ai improvisé, c'est tout.

– Tu m'expliques ?

Évidemment que j'allais le lui expliquer. En partie du moins. Comme si, moi, je savais tout, comme si je maîtrisais. Non, je bricolais, j'ébauchais, j'hésitais, je trébuchais.

– Mais, curieusement, je m'amuse. Tu veux savoir ? Tu as quatre, cinq heures devant toi ?

Elle avait.

Tout le repas y passa. Elle poussait de temps à autre des « oh ! », des « nooon ! » Elle écarquillait les yeux, les plissait, elle s'indignait, elle rigolait, elle disait « C'est pas vrai ! », elle disait « Non, pas toi, tu as fait ça ? ».

Elle n'en revenait pas. Passait d'une feinte réprobation à une certaine forme de ravissement. Mais une traductrice de russe ne pouvait pas ne pas aimer le souffle de l'aventure. Je ne lui offrais certes qu'un ersatz d'aventurier, mais, venant de moi, ça n'était déjà pas si mal.

Je lui avais tout dit, ou presque tout. Tout raconté, à quelques trous près. Tout expliqué, de mes angoisses financières à mes états d'âme, sans néanmoins m'étendre sur quelques émois plus intimes.

C'était évidemment Cécile, le problème. Marie fit comme si ça n'en était pas un. Et moi, lâche comme il convient, je fus trop heureux de faire comme si, du coup, ça n'en était pas un non plus, entre elle et moi. Et je lui fus reconnaissant d'être entrée sans encombre, ni résistance, ni jalousie apparente dans mes manigances. Soulagé. Pas certain qu'elle n'eût aucun soupçon, mais admiratif qu'en elle rien n'ait trahi une mauvaise rumination.

En tout cas, curieuse des épisodes suivants, elle avait continué de m'interroger :

– Et Cécile, quand la fais-tu intervenir ?

– Bientôt.

– Et le peintre ?

– Pareil.

– Tu ne risques rien, tu es sûr ?

– Tout est immoral, rien n'est illégal. Mieux, il n'y a pas de victimes. Juste des gogos, comme l'époque en regorge.

– Je t'en prie, me réprimanda Marie, arrête-toi là ! Un peu plus, et tu vas parler d'une œuvre de salubrité publique !

– Ce ne serait pas idiot ! Mais non, j'ai juste un mariage à financer !

## 26

Cécile m'appela dans la matinée de ce lundi-là.

– Y a pas à dire, Vincent. On forme un sacré joli couple !

– Ah, ah, dis-je prudemment.

– Si, si. Vous savez, c'est le genre de photos pas très piquées, comme volées, façon paparazzi, mais on est très bien tous les deux, très proches, c'est intime à souhait.

– Diable !

J'avais beau ne rien découvrir du scénario et l'avoir raconté à Marie, je pensais à elle, à la bonne figure qu'elle s'obligerait à faire.

– Quoi ? Vous flippez ? Trop tard, Monsieur, c'est imprimé, c'est publié, c'est en kiosque ! Attendez-vous à ce qu'on vous regarde d'un drôle d'air. Et même de travers, vieux satyre qui emballez une jeunesse… !

– La jeunesse en question n'a pas franchement l'air effarouché, à ce qu'il paraît.

– Bah, c'est un article, un article de plus, ça entretient la légende... Encore que l'étoile montante du cinéma qui sort avec un radoteur, c'est pas terrible, terrible... Mais, bon, j'ai le sens du sacrifice !

– N'en faites pas trop, quand même. Ça pourrait vite devenir désobligeant pour moi.

Cette fille me faisait rire. Tout était léger avec elle. Tout poussait à l'être, léger.

– Vous voulez que je vous lise ?

– Je m'attends à tout.

– Alors, le titre c'est : « Cécile Tonelli : et si c'était l'homme de sa vie ? » Dessous, plusieurs photos de nous, dont une grande, prises à la sortie du restaurant, puis dans la rue. Le texte : « On ne jure de rien, mais, l'autre soir, Cécile Tonelli, la jeune actrice qui explose... bla-bla-bla, et dont le film, bla-bla-bla, paraissait pleinement épanouie en compagnie d'un charmant inconnu. Serait-ce lui, l'homme dont la belle Cécile parle dans ses interviews sans jamais vouloir en dire plus ? Heureux homme, en tout cas ! » Vous entendez, Vincent, heureux homme !

– Et comment ! répondis-je, encore admiratif de l'habileté du texte tout en prudence suggestive. Et on me reconnaît bien ?

– Ah ça, pas de souci ! Aucun de vos voisins, pas un collègue de travail ne pourra vous louper. Votre réputation est faite, veinard. C'est du bon boulot de professionnel.

Nous convînmes de nous retrouver pour un verre en début de soirée. Un pareil couple, ça se fête.

## 27

C'est un papier écrit de ma propre main qui me valut, quelque temps plus tard, un autre quart d'heure de célébrité, et même, pour le coup, un peu plus. J'y dénonçais le pseudo-art, le faux courage et la vraie démagogie d'un certain Lermann dont une galerie parisienne exposait les dernières œuvres. Œuvres ? Je contestais le terme et me lançais dans une diatribe d'où il ressortait que le n'importe quoi ne faisait pas forcément de l'art, et que son alibi idéologique ne le hissait pas non plus au niveau de la pensée. Bref, je résume, ce Lermann-là était un jean-foutre dont j'espérais qu'il serait traité comme tel par le public, c'est-à-dire purement et simplement ignoré.

La vivacité du ton me valut quelques reprises dans les revues de presse radio. L'appel au boycott d'un artiste présumé étant par nature fascistoïde, rien n'eût pu, mieux que lui, attirer l'attention d'abord, l'immédiate sympathie ensuite, l'inéluctable solidarité enfin vis-à-vis dudit artiste ainsi dénoncé.

Tout le monde se précipita donc pour voir.

Il s'agissait de douze toiles, toutes identiques. Carrées, un mètre sur un mètre, rouge sang, sur lesquelles étaient agrafés des sortes de tortillons en plastique, rouges eux aussi, assez répugnants et faisant penser à des bouts d'intestin. L'explication était dans le titre que Lermann avait donné à chaque toile : *Dubyavirus*, *Frappe chirurgicale*, *Tir ami*, *Dommage collatéral*, *ADM* (pour armes de destruction massive), *Axe du Bien*... Bref, Lermann était contre Bush que sa retraite, quelques années plus tôt, n'avait pas rendu moins détestable ni moins détesté. Lermann était contre la guerre. Et il avait vu rouge. Pareil croisé ne pouvait pas être mauvais homme.

Ma violence à son endroit me fit évidemment passer pour pro-Bush, proguerre en Irak, et, tant qu'on y était, proaméricain. Autant dire un spécimen rare, un punching-ball rêvé pour débats, tribunes et plateaux. De fait, dans la journée, je fus invité à venir en prendre pour mon grade dans une émission télévisée du surlendemain. On ne me présenta pas tout à fait les choses ainsi, mais les premières réactions selon lesquelles, outre mon ringardisme artistique, je n'étais qu'un ennemi de la liberté d'expression créatrice, ne me laissaient aucun doute.

Hé quoi ! Il fallait bien que je paie de ma personne ! On n'a rien sans rien. Croit-on qu'Honoré n'en a pas bavé pour tenter de satisfaire ses créanciers ? Est-ce qu'on ignore qu'il s'est vraiment tué à la tâche pour acheter, meubler, décorer, embellir un palais tout dévolu à sa vie rêvée de couple avec Mme Hanska ? Ça n'allait être, pour moi, qu'une question de quelques mauvais instants.

L'affaire, tout de même, s'emballa hors de toutes mes prévisions. À partir du moment où plusieurs blogs assurèrent Lermann de leur soutien, ce fut la folie. Les partis politiques s'en mêlèrent. Un ecclésiastique friand de médias alla visiter l'exposition et se dit touché par l'humanité qui sourdait de chaque toile. Une actrice qu'aucune bonne cause ne laissait indifférente se déclara, elle, ébranlée par le pouvoir dénonciateur de ces quelques mètres carrés de toile. Elle manqua de peu un professionnel de l'indignation humanitaire qui salua en l'œuvre une « bombe civique ».

Du reste, il y avait foule. La police avait installé des barrières métalliques sur le trottoir et surveillait la galerie vingt-quatre heures sur vingt-quatre de peur que quelque extrémiste voulût s'en prendre à la liberté d'expression.

Il y avait foule. Sauf Lermann lui-même. J'avais insisté sur ce point dès le départ. Il ne fallait pas qu'il se montre. Les médias lui feraient la chasse, lui offriraient des ponts d'or, le harcèleraient. Il fallait qu'il se terre. Un inconnu reste un mystère, et seul le mystère est mythique. Un absent ne peut pas déplaire, ni énerver, ni en faire trop, ni faire mal, il n'est pas sympathique ou antipathique. Il est absent, c'est une énigme. Au scandale s'ajoutait une fièvre de frustration. Pourquoi ne se montrait-il pas ? Son agent restait laconique. Le galeriste jurait n'avoir pas de ses nouvelles. La rumeur faisait état de menaces qu'il aurait reçues. Un nouveau Rushdie ? Victime d'une inédite fatwa ?

Lermann piaffait, pourtant. Son heure de gloire était là et je voulais l'en priver ? J'avais presque dû me fâcher : qu'est-ce qu'il préférait ? Faire le malin, là, tout de suite, et tuer l'affaire en moins de deux ? Ou asseoir sa célébrité, un peu plus que cinq minutes, avant d'apparaître ? J'avais ajouté que son intérêt financier (et le mien, donc !) commandait encore son incognito.

Les faits vinrent conforter mes arguments. Les journaux américains se mirent de la partie, l'affaire Lermann devint comme une réplique artistique du séisme diplomatique qui avait opposé la France aux États-Unis, à l'ONU, à propos du déclenchement de la guerre en Irak. Tant et si bien que, pour qualifier les toiles de Lermann, un journal conservateur, citant un officieux du département d'État, parla d'« art chiraco-primitif », ce qui était se moquer à la fois de Chirac et de son goût pour les arts premiers. À la suite de quoi un homme d'affaires, sans doute démocrate, acheta une de ces toiles impies pour 100 000 dollars.

On ne pouvait espérer mieux. Lermann était plus qu'un artiste : une cause. Et l'acheter, un acte militant. Trois musées et deux fondations prirent des options. Un jeune milliardaire d'Internet qui venait de racheter un grand quotidien en perdition se manifesta à son tour et le fit savoir. Le rêve !

Difficile, j'en convenais, de rester impassible. Attention qu'un mutisme trop prolongé ne fasse figure d'indifférence ou, pis, d'ingratitude. Je suggérai donc à Lermann la rédaction d'un communiqué très court, sobrissime, où il remercierait tous ceux qui portaient attention à son travail. On ne pouvait faire plus modeste. Son agent le lut, très bien, avec gravité, devant des dizaines de caméras. On trouva le message touchant. L'énigme Lermann montait en puissance, sa cote à l'avenant.

## 28

– Eh bien, dis donc, papa, on peut dire que tu te fais remarquer !

– En effet ! surenchérit Simon, visiblement content que Benoît aborde franco le sujet.

Je jouais gros. Nous étions tous les six à la maison. Une sorte de dernier tour d'horizon pour ultimes réglages. La date du mariage approchait. Mais quelques préalables s'imposaient. Il s'avérait qu'au su et au vu de tous, le père du futur marié, le futur beau-père de la future mariée, le mari de la mère du futur marié, moi, quoi ! trompait sa femme, s'affichait sans vergogne et se posait, artistiquement et politiquement, en fieffé réactionnaire. On pouvait faire la tête à moins !

J'avoue que, vaguement dépassé par l'impact de mes petites manigances, je m'étais inquiété, au cours de quelques insomnies, de leurs dégâts collatéraux : et si la jeune Anne-Sophie, redoutant de découvrir dans le père ce qu'il pouvait y avoir de caché dans le fils, jugeait préférable de surseoir à ses projets matrimoniaux ? et si Fabienne et Simon ne se voyaient plus faire fête commune avec quelqu'un comme moi qui effaroucherait pour le moins leurs amis et relations ? Après tout, il y avait eu tromperie sur la marchandise, du scandaleux sous un convenable d'apparence.

Je jouais gros, donc. La soirée n'avait pas été annulée, c'était déjà un signe. Mais je fus attentif au ton des premiers mots. À ce « en effet » de Simon, surenchérissant sur l'interpellation de Benoît. Il m'avait semblé que son « en effet » n'était ni hostile, ni agressif, mais signifiait tout de même qu'on se serait bien passé de tout ça.

– Oui, Vincent, racontez-nous, intervint Fabienne, visiblement prête à toute la mansuétude nécessaire, si on savait lui parler. Quelle affaire !

– À qui le dites-vous, Fabienne ! Je ne sais plus où donner de la tête, moi !

– Eh bien, parle-nous donc d'abord de ta maîtresse, intervint Benoît. Qu'est-ce que c'est que ces histoires ?

Anne-Sophie baissa la tête, Simon s'empara de son verre, Fabienne changea de position sur le canapé.

Je les avais prévenus, bien sûr, dès la parution du journal. C'était bien le moins. Je leur avais dit combien c'était déplaisant, pour moi, et que j'étais conscient que ça pouvait l'être aussi pour eux. Les risques du métier ! J'étais payé pour rencontrer des artistes, pas seulement les moches ou les vieux, voilà tout. Cécile Tonelli attirait les paparazzi, j'en étais la victime indirecte. Mais, à les voir, là, empruntés sur le canapé, il ne paraissait pas inutile de revenir sur l'affaire. Seule Marie virevoltait, proposant à chacun olives vertes ou biscuits au fromage.

– Des histoires, c'est le mot, dis-je. Je ne puis dire autre chose. Des conneries de journalistes.

– Et tu t'y connais ! ricana Benoît.

– Comme tu dis, petit salopard !

L'ambiance en fut détendue. Plus encore quand Marie prit les choses avec une légèreté qu'au moins Fabienne et Simon ne lui soupçonnaient pas. Elle n'était plus, là, la traductrice de russe, la pasionaria des jardins familiaux, la mère du futur marié, mais une femme pour le moins libérée.

– Dommage, dit-elle. Je n'aurais pas été vexée d'être l'épouse du type qui se tape Cécile Tonelli !

– Maman ! la gronda Benoît.

– Eh bien, Marie, comme vous y allez ! s'amusa Simon.

– Je vais faire des efforts, intervins-je en réponse à Marie. (Pour de vrai, elle m'épatait : m'absoudre ainsi publiquement d'un péché dont elle pouvait me croire coupable, mais, si je l'avais commis, ne pas le tenir pour plus grave qu'il n'était, une fantaisie compréhensible. Il lui en fallait, du culot, et quelle force pour réagir avec cette légèreté !) Mais, pour l'heure, Cécile et moi, on va d'abord intenter un procès au journal.

– Mais ce n'est pas ton copain qui le dirige ? dit Benoît.

– Si, Jean-Philippe. Mais ça n'empêche. Atteinte à la vie privée. Violation du droit à l'image.

– Cécile Tonelli, elle est connue. Mais toi ? Tu vas pas ramasser gros.

– Au contraire ! Je plaiderai que, n'ayant pas de carrière publique, il est beaucoup plus traumatisant pour moi de voir une photo publiée qui induit en erreur mon entourage affectif et professionnel. Que le dommage est plus grand pour moi qui ne fais pas le moins du monde commerce de mon image ni de ma vie sentimentale, ce qui peut être le cas de beaucoup de personnages publics.

– Je vois, mon cher Vincent, que vous avez pensé à tout, commenta Simon, favorablement impressionné par une détermination procédurale qui confortait mon innocence déclarée. Si toutefois vous avez besoin d'un bon avocat, sachez qu'à la banque nous en connaissons quelques-uns, et pas des plus mauvais. Mais, dites-moi, que dit votre copain qui, si j'ai bien compris, est le patron du torchon ?

– Il ne dit rien. En tout cas, pas à moi. Nous ne nous sommes pas parlé.

– Vous n'avez pas essayé ?

– Qu'est-ce que ça changerait ? C'est une affaire d'avocat à avocat. Mais je vais vous surprendre : je l'aime bien, Jean-Philippe !

Une complaisance qui fit bondir l'assistance (Marie se contenta d'une moue énigmatique). Comment ? Après cette saloperie ?

– Hé oui ! Que voulez-vous, c'est son métier. Le public est avide d'en apprendre sur Cécile Tonelli. Il en fait une double page. Il se trouve que je suis sur la photo qu'on lui amène. Pas de chance ! Mais enfin, il n'y a pas mort d'homme...

C'était le moins que je pouvais faire pour Jean-Philippe. Lui éviter d'être catalogué en parfait salaud. Je n'étais pas sûr d'y être parvenu. Mais pouvais-je leur dire que, dans cette affaire, il avait été le plus compréhensif, attentionné et coopératif des amis ? Car, évidemment, il s'était prêté volontiers à ce petit subterfuge. À peine lui en avais-je dit deux mots qu'il m'avait interrompu : une escroquerie aux dommages-intérêts ? Il voyait ça tous les jours. Tiens, encore récemment, une speakerine qui s'affichait à Saint-Trop en plein mois d'août et avait attaqué tous les journaux qui avaient publié cette innocente photo. Jean-Philippe appelait ça relever les compteurs. Imparable : dans quatre-vingt-dix-neuf pour cent des cas, le magazine était condamné à payer.

– Alors, à toi ou à un autre, pfff...

Obligeamment, Jean-Philippe m'avait écrit le scénario : un paparazzi que l'on tuyaute par la bande et, après publication, l'assignation devant la première chambre du tribunal de grande instance de Nanterre.

– Et c'est long, comme procédure ? l'avais-je interrompu.

– Parce qu'en plus tu es pressé ? Qu'à cela ne tienne. On n'aura qu'à éviter la case tribunal. Nos avocats respectifs s'entendront bien sur une transaction. On paie, l'assignation tombe. La routine !

– Et, avais-je dit, un peu honteux tout de même, dans les combien tu penses… enfin, ça représente quoi ?

– Ah ça, ça dépend de vous ! Si Cécile montre sur le cliché volé des atours assez dénudés, ça peut grimper. Si vous vous embrassez, je dirais dans les 15 à 18 000 euros chacun. Si vous ne faites que vous tenir la main, c'est bon pour 12 000.

J'avais choisi l'option basse : je la tiendrais par le haut du bras. Pas de bisous. Juste de la complicité.

– Alors 10 000 pour toi, 15 000 pour Cécile, avait tranché Jean-Philippe.

Ça m'allait.

Et c'est cet homme, cette crème que j'aurais livré tout cru au jugement de Simon, de Fabienne, d'Anne-Sophie et de Benoît ? Pas lui, pas moi ! Je plaidai que c'était le système, le méchant, que c'était le public, le voyeur. Et qu'il était un peu facile de s'en prendre à Jean-Philippe. Je ne fis pas un tabac.

Heureusement, j'avais sur le feu, avec Lermann, une deuxième escroquerie pour détourner leur attention et les tenir en haleine.

– On ne vous a pas vu à la télé. Simon et moi étions malheureusement coincés dans une soirée de banquiers. Comment c'était ?

– Une sorte d'horreur.

Comme prévu. On n'échappe pas au casting de ce genre d'émissions où il faut impérativement célébrer une sainte trinité cathodique qui a fait ses preuves, à savoir : de l'émotion, de la bonté, du scandale. Le registre émotion était dévolu à une charmante petite fille riche qui avait eu des malheurs, toxicologiques et amoureux, mais avait au moins trouvé un éditeur pour en publier le récit. Les doigts noués comme la gorge, elle disait merveilleusement bien comment ce livre avait été une thérapie, un accouchement en vue d'une nouvelle naissance, une régénération en même temps qu'une réappropriation d'elle-même. Comment, l'écrivant, elle « s'était mise en danger » (c'est fou, par les temps qui courent, ce qu'écrire peut être dangereux : une sorte de cascade sans doublure). Elle avait opportunément convoqué la citation nietzschéenne selon laquelle tout ce qui ne nous tue pas nous rend plus fort – une antienne qui fait toujours son effet. Le magma était certes classique – le coup du livre thérapie –, mais très bien interprété. Peut-être un couplet sur son âme d'enfant qui lui importait plus que tout, et un paragraphe sur son authenticité, dont elle aurait fait l'alpha et l'oméga de son avenir, auraient-ils été bienvenus. Mais sa maladresse, sa gêne, son désarroi emportaient tout – et en tout cas le morceau.

Personne n'eût pu mieux incarner la bonté que le deuxième invité, professeur de médecine, cancérologue favori du pouvoir, abonné des promotions honorifiques et habitué des tribunes. À se demander s'il voyait encore un patient. On racontait que, pour le convaincre de recevoir en consultation un écrivain letton, les amis de celui-ci avaient dû monter un dossier de presse d'où il ressortait que le malade était tout désigné pour être le prochain Nobel de littérature. Un sésame qui lui avait grand ouvert le cabinet de notre saint laïc. Mais l'hospitalo-universitaire faisait miracle : la manière qu'il avait d'être savant tout en étant simple, et compassionnel en restant sobre, était de toute beauté.

Le méchant, c'était moi. Pour que nul ne l'ignore – un méchant pouvant tromper son monde –, le présentateur avait d'emblée annoncé la couleur (noire).

– Vous, Vincent Rullier, je crois qu'on peut dire que vous êtes un peu l'homme de tous les scandales, celui qui met à feu et à sang les mondes de l'art, de la politique et même de la diplomatie, ce qui est un peu un exploit. Je vous donnerai la parole tout à l'heure, mais je voudrais tout de suite demander son avis à celle qui, sans flagornerie, est un peu la meilleure écrivaine de cette rentrée…

Avec ce bateleur, tout le monde était un peu… le meilleur, un peu… l'unique, un peu… le champion. Il devait trouver ça chic, de relativiser l'absolu, intelligent de pratiquer la boursouflure tout en paraissant s'en garder, et profitable de manier le superlatif avec cet « un peu » comme préservatif pour échapper à la pure et simple courtisanerie. Bref, c'était un genre. D'aucuns disaient la marque du yaourt qu'il avait dans la tête.

Il me cuisina gentiment. Ses mimiques suffisaient à ma condamnation. Pro-Bush, anti-art, la cause était entendue. Je le surpris tout de même quand, à sa question, je répondis que, oui, je connaissais Lermann.

– Mais vous le connaissez personnellement ?

– Oui.

– Parlez-nous de lui. Je crois qu'il est un peu l'artiste du moment, nous avons essayé de l'avoir sur ce plateau, mais il se terre. Comment est-il ?

– Sympathique. Mais je ne voudrais pas le compromettre...

– Lui avez-vous parlé depuis votre éditorial qui est tout de même, je crois qu'on peut le dire, et excusez-moi de ma violence, mais je sais que beaucoup pensent ainsi, qui est, donc, votre éditorial, assez assassin, je ne sais pas ce qu'en pensent nos autres invités, mais oui, un petit peu très violent...

– Évidemment, je lui ai parlé.

– Mais c'est juste un peu incroyable ! Vous qui le démolissez, vous êtes le seul à avoir eu ce privilège !

– C'est comme ça, dis-je placidement.

– Et que vous a-t-il dit ? Comment a-t-il réagi ? C'est fou ce que vous nous dites là ! Qu'est-ce que, qu'est-ce qu'il pense ?

– Permettez que je n'en dise rien. Ses pensées, ses propos lui appartiennent. Il n'a nul besoin de moi comme porte-parole, et je ne serais pas le mieux placé pour remplir ce rôle, me semble-t-il. Alors, c'est son affaire.

*

Le bourreau parlant à sa victime, l'artiste à son censeur : la température Lermann était montée d'un cran. Et la course au Lermann en fut relancée (mais je gardai encore un moment mon faiseur d'or en cage).

*

Ainsi avais-je raconté mes déboires et mes exploits. Il faut croire que mon naturel – mon amusement ? – avait désamorcé ce qu'il pouvait y avoir de soupçon ou de malaise dans le cercle bientôt élargi de nos familles.

Mariage il y aurait.

Je n'aurais pas été celui par qui il échouerait pour avoir trop voulu qu'il existât.

## 29

À la sortie de l'église tombèrent les premières gouttes d'une grosse pluie. C'était tout de suite après le lâcher des papillons qui l'échappèrent belle. Juste après que les photographes eurent officié. Au moment où la foule, sur le parvis, échangeait force embrassades. Des gouttes, rares d'abord, lourdes, sûres d'elles, qui s'écrasaient sur le bitume, frappaient les capelines, étoilaient les costumes. J'entendis les inévitables « Mariage pluvieux, mariage heureux ». L'averse mettait de l'animation, une sorte d'excitation collective, créant une gaie débandade.

Anne-Sophie et Benoît filèrent vite dans la voiture qui les attendait. Les invités se dispersèrent, la plupart à la recherche de leurs véhicules éparpillés aux alentours (ingarables) de Saint-Pierre-du-Gros-Caillou, les autres rejoignant à quelques dizaines de mètres, sur l'avenue Bosquet, les deux cars qui les conduiraient au château.

Marie partit dans la voiture de Simon et Fabienne, tandis que je devais m'assurer qu'il n'y avait, dans cet exode, aucune âme en perdition. J'étais une sorte de voiture-balai. N'était la pluie qui redoublait, tout se passait normalement. Plus personne devant l'église, personne laissé en rade par les cars.

Je quittai Paris, pris l'autoroute.

Ainsi nous y étions, à ce mariage. On passait à l'acte. Les essuie-glaces fonctionnaient au maximum de leur régime. L'eau tambourinait dru sur la carrosserie. Je roulai seul vers un château, un buffet, du champagne et même de la vodka, des familiers, des amis, des relations, des inconnus, des tenues de cérémonie, des chapeaux et des parfums, des têtes à reconnaître, des noms à mettre dessus, des mots à dire à chacun. Il faudrait faire l'aimable, et le malin.

Soudain, était-ce le besoin de m'accorder un sursis ou le seul effet hypnotique des essuie-glaces, j'éprouvai le besoin de m'arrêter dans un de ces chemins forestiers débouchant sur la petite route qui menait au château. Je coupai le moteur.

Curieusement, j'avais envie de rire. Un scénario loufoque me vint à l'esprit, comme une farce grinçante. À la radio, des bulletins alarmistes occupaient l'antenne. On y parlait d'un phénomène exceptionnel, un dérèglement climatique localisé. La région parisienne était au centre dudit dérèglement. Les consignes étaient impératives : ne pas sortir de chez soi, fermer les volets, éviter de prendre la route. Les deux autobus devaient s'arrêter sur le bord de l'autoroute. Leurs chauffeurs n'avaient pour seule ambition que de regagner Paris. Autour de moi, deux arbres s'abattaient dans un sifflement sinistre. Le plan rouge était déclenché. Simon, coincé avec Fabienne et Marie, m'appelait. Sa voix était méconnaissable : celle d'un homme sans ressort, sans ressources – le contraire du Simon familier. Il parlait de catastrophe sans nom. Nous étions coupés. Il me rappelait, s'inquiétant d'Anne-Sophie et de Benoît. Avais-je pu les joindre, savoir... ? Oui, lui disais-je, ils étaient tous les deux au château. En sécurité. Seuls. Seuls avec les serveurs, le plus grand buffet du monde, un champagne du tonnerre et même de la vodka.

Je ricanai. Une fin à la Balzac, pensai-je. Un hommage fictif à mon inspirateur : Honoré, son attente pathétique de Mme Hanska ; son voyage en Russie pour aller la chercher ; son mariage dans un bled d'Ukraine ; son retour à Paris avec elle, dans l'hôtel particulier qu'il avait préparé pour elle, rue Fortunée, avec des murs tendus de damas d'or, des portes sculptées de marqueterie d'ivoire, une bibliothèque incrustée d'écaille ; son retour avec elle dans cet écrin à elle destiné, qui l'avait ruiné, lui. Et sa mort à lui, sitôt rendu.

Sauf, désolé, que je n'étais pas Balzac. D'ailleurs, la pluie s'était arrêtée. Simon était sur place avec Fabienne et Marie. Les cars à quelques minutes de leur arrivée. Le ciel se dégageait. La soirée serait belle. La lumière d'arrière-saison, aussi.

*

Je descendis de voiture. Des gouttes tombant des branches mouillèrent mon costume et mes chaussures pataugèrent dans une couche de feuilles mortes gorgées d'eau.

J'étais heureux de m'accorder ces quelques moments de mariage buissonnier. Tous là-bas et moi ici, célébrant tout seul le mariage intime de celui que j'étais avec celui que j'étais devenu.

*

Quand j'arrivai au château, tout le monde était là, agglutiné autour des buffets. Pas la moindre goutte de pluie n'était venue, ici, mouiller l'herbe et gâcher la fête. Depuis la terrasse qui surplombait le parc de quelques marches, je contemplai cette petite foule avec un mélange d'autosatisfaction et d'ironie. Je m'appliquai à repérer parmi les invités tous mes mécènes sans qui rien n'eût été possible, comme on dit.

Laurent Truchoy ne pouvait passer inaperçu ; une coupe à la main, au centre d'un cercle d'admirateurs, il était comme il aimait être : prolixe, enjôleur, l'objet de toutes les attentions et de toutes les flatteries. Peut-être regrettait-il juste de n'avoir pas prévu une séance de dédicaces... Plus loin, le président de la FNIFCD et son chargé de com', Jacques Walter, paraissaient s'assurer de la bonne tenue de la décoration florale. Cécile était là aussi (Marie y avait tenu), ne manquant pas de faire son effet au gré de ses déplacements. Elle ne tarderait pas à croiser Truchoy dans une sorte de rencontre au sommet. Sans doute étais-je le seul à connaître Monsieur C., le collectionneur de toiles de Lermann qui avait réalisé son placement et n'avait pas eu à se plaindre de leur cote inattendue – ni moi du pourcentage que j'avais perçu sur leur vente ! Seuls manquaient Lermann, justement, et mon ami Jean-Philippe : leur présence eût signé leur crime (et les miens)...

*

Je m'apprêtai à descendre dans l'arène quand une main sur l'épaule me retint. C'était Simon.

– Une réussite, n'est-ce pas ? me dit-il juste.

Je vis que son économie de mots se voulait inversement proportionnelle à l'éclat de la fête.

– En effet, fis-je tout aussi sobrement.

– Ah, mon cher Vincent, s'épancha-t-il. Maintenant, je peux bien vous le dire à vous. Ce mariage m'a tourmenté comme vous ne l'imaginez pas !

– Vraiment ? dis-je.

*Composé par Nord Compo Multimédia*
*7, rue de Fives, 59650 Villeneuve-d'Ascq*

Imprimé en France
FROC030715151019
22422FR00015B/150/P